O Método Wim Hof

Dados Internacionais de Catalogação na Publicação (CIP)
(Câmara Brasileira do Livro, SP, Brasil)

Hof, Wim
  Método Wim Hof : Técnicas de Respiração e Exposição ao Frio para Ativar Todo o seu Potencial Humano / Wim Hof ; tradução Denise de Carvalho Rocha. -- 1.ed. -- São Paulo : Editora Pensamento Cultrix, 2021.

  Título original: The Wim Hof Method
  ISBN 978-65-5736-078-1

  1. Autocura 2. Cura - Aspectos psicológicos 3.Mente e corpo - Terapias 4. Poder da mente 5. Terapia alternativa I. Título.

21-56572					CDD-615.82

Índices para catálogo sistemático:
1. Autocura : Exercícios terapêuticos : Medicina holística 615.82
Aline Graziele Benitez - Bibliotecária - CRB-1/3129

Elogios a este livro

"Wim Hof é um homem de talentos extraordinários, que demonstra grande controle das funções fisiológicas involuntárias que ele desenvolveu aprendendo a tolerar a exposição ao frio e fazendo exercícios de respiração. Ele já ensinou o Método Wim Hof a milhares de pessoas, e neste livro o explica em detalhes. Leitura recomendada para todos os interessados em aumentar seu potencial humano."

DR. ANDREW WEIL, DIRETOR DO CENTRO DE MEDICINA INTEGRATIVA ANDREW WEIL, DA UNIVERSIDADE DO ARIZONA, AUTOR DE *8 WEEKS TO OPTIMUM HEALTH*

"O método de Wim Hof se tornou uma parte essencial da minha rotina diária de autocuidados e exercícios de aterramento. Recomendo com veemência."

DR. GABOR MATÉ, AUTOR DE *WHEN THE BODY SAYS NO*

"Wim Hof inspirou milhões de pessoas a usar apenas o corpo e a respiração para se fortalecer e depois se curar de uma longa lista de doenças crônicas. Duvida? Eu também duvidava até descobrir pesquisas de cientistas do mundo todo, provando que essas afirmações "impossíveis" eram de fato verdadeiras. Este livro é um guia valioso para quem deseja ter mais controle sobre a saúde, o calor corporal e o potencial inexplorado que existe dentro de todos nós."

JAMES NESTOR, AUTOR DE *BREATH, BEST-SELLER DO NEW YORK TIMES*

"Se você tiver que optar por ler um único livro sobre como se sentir bem, pode ter certeza de que este é o mais indicado. Estou muito feliz que as técnicas de Wim tenham sido resumidas de uma forma fácil de digerir. Tenho praticado o método dele religiosamente, porque de fato funciona."

JESSE ITZLER EMPREENDEDOR, AUTOR DOS *BEST-SELLER ENDURANCE ATHLETE E AN OWNER OF THE ATLANTA HAWKS*

"Com a certeza bombástica de um homem obcecado, Wim Hof oferece curiosidades científicas dignas de investigações posteriores, bem como instrumentos inovadores de autocura, que valem a pena você experimentar em si mesmo, especialmente se a medicina convencional não o ajudou."

DRA. LISSA RANKIN, AUTORA DE *MIND OVER MEDICINE, BEST-SELLER DO NEW YORK TIMES*

Wim Hof

O Método Wim Hof

Técnicas de Respiração e Exposição ao Frio para
Ativar Todo o seu Potencial Humano

Tradução
Denise de Carvalho Rocha

Título do original: *The Wim Hof Method*.
Copyright © 2020 Wim Hof.
Copyright da apresentação © 2020 Elissa Epel.
Publicado mediante acordo com Sounds True, Inc. Wim Hof Method® é uma marca registrada da Innerfire B.V.
Esta tradução foi publicada com licença exclusiva da Sounds True, Inc.

Copyright da edição brasileira © 2021 Editora Pensamento-Cultrix Ltda.

1ª edição 2021.

Todos os direitos reservados. Nenhuma parte desta obra pode ser reproduzida ou usada de qualquer forma ou por qualquer meio, eletrônico ou mecânico, inclusive fotocópias, gravações ou sistema de armazenamento em banco de dados, sem permissão por escrito, exceto nos casos de trechos curtos citados em resenhas críticas ou artigos de revistas.

A Editora Cultrix não se responsabiliza por eventuais mudanças ocorridas nos endereços convencionais ou eletrônicos citados neste livro.

Este livro não pretende substituir as recomendações de médicos, terapeutas e outros profissionais de saúde. Destina-se, isto sim, a oferecer informações para ajudar o leitor a cooperar com esses profissionais na busca mútua pelo bem-estar ideal. Não pratique o método durante a gravidez ou se você for epiléptico. Pessoas com doenças cardiovasculares, respiratórias ou qualquer outro problema de saúde devem consultar o médico antes de iniciar o Método Wim Hof®.

O frio é uma força poderosa, e o frio extremo pode ser um choque para o seu corpo. Nós aconselhamos que você comece devagar e, aos poucos, aumente a exposição. Se a exposição ao frio não for praticada de modo responsável, há o risco de você sofrer hipotermia. Os exercícios de respiração deste livro podem, do mesmo modo, surtir fortes efeitos fisiológicos e devem ser praticados de acordo com as instruções aqui apresentadas. Sempre execute-os em um ambiente seguro, sentado ou deitado. Nunca pratique os exercícios respiratórios do Método Wim Hof antes ou durante um mergulho, enquanto estiver dirigindo, nadando, tomando banho ou em qualquer outra circunstância em que a perda de consciência possa resultar em danos físicos. A respiração do Método Wim Hof pode causar sensações de formigamento, zumbido nos ouvidos e/ou tontura. Essas são reações naturais do corpo, e não são motivo de alarme. Mas, se você desmaiar, isso é sinal de que exagerou e deve ir mais devagar da próxima vez.

Não é necessário levar o método a extremos para obter seus benefícios. Ouça os sinais do seu corpo e nunca exagere em nenhuma das práticas do Método Wim Hof.

Nem o autor nem a Editora Pensamento dão qualquer garantia quanto à adequação ou à eficiência do Método Wim Hof, seja qual for o propósito da sua prática ou a situação pessoal do praticante.

Editor: Adilson Silva Ramachandra
Gerente editorial: Roseli de S. Ferraz
Gerente de produção editorial: Indiara Faria Kayo
Editoração eletrônica: S2 Books
Revisão: Erika Alonso

Direitos de tradução para o Brasil adquiridos com exclusividade pela
EDITORA PENSAMENTO-CULTRIX LTDA., que se reserva a
propriedade literária desta tradução.
Rua Dr. Mário Vicente, 368 — 04270-000 — São Paulo, SP — Fone: (11) 2066-9000
http://www.editoracultrix.com.br
E-mail: atendimento@editoracultrix.com.br
Foi feito o depósito legal.

Eu dedico este livro aos meus filhos,
aos seus filhos e aos seus pais, irmãos e irmãs.
Mas, acima de tudo, eu o dedico a VOCÊ.
A VOCÊ que reside além do medo,
A VOCÊ que está disposto a mergulhar fundo.
Minha esperança é que você recupere seu poder pessoal,
ajude outras pessoas e, por fim, dê a mão à própria Mãe Natureza.

O que ficou para trás e o que está à nossa frente são meras insignificâncias em comparação ao que existe dentro de nós.

E, quando trazemos o que está dentro de nós para o mundo, milagres acontecem.

HENRY STANLEY HASKINS

Sumário

APRESENTAÇÃO Um Encontro Improvável — 13
PREFÁCIO Está Tudo Aí para Você — 21
Capítulo 1 O Missionário — 25
Capítulo 2 O Nascimento do Homem de Gelo — 35
Capítulo 3 Um Banho Frio Por Dia Mantém sua Saúde em Dia — 49
    PROTOCOLO MWH: EXPOSIÇÃO AO FRIO PARA INICIANTES — 55
    O MÉTODO WIM HOF PARA AQUECER O CORPO — 61
    EXPERIMENTO Nº 1 DO MÉTODO WIM HOF — 71
    BANHO DE ÁGUA GELADA PARA TER MÃOS E PÉS MAIS QUENTES — 71
Capítulo 4 Respirem, Caramba! — 73
    PROTOCOLO MWH: EXERCÍCIO BÁSICO DE RESPIRAÇÃO — 82
    EM CASO DE DORES DE CABEÇA CAUSADAS PELA ALTITUDE — 85
    EXERCÍCIO DE RESPIRAÇÃO ENQUANTO CAMINHA EM GRANDE ALTITUDE — 85
    EXERCÍCIO DE RESPIRAÇÃO DE DESCANSO PARA SE AJUSTAR A UMA ALTITUDE ACIMA DE QUATRO MIL METROS — 86
    PROLONGUE SEU TEMPO DE RETENÇÃO — 88
    EXPERIMENTO nº 2 DO MÉTODO WIM HOF — 88
    COMO CURAR UMA RESSACA EM VINTE MINUTOS — 93
Capítulo 5 O Poder da Mente — 95
    PROTOCOLO MWH: EXERCÍCIO BÁSICO DE ATITUDE MENTAL — 104
    MEDITAÇÃO DO MWH — 125
    MWH EM RESUMO: TRÊS PILARES DE UMA PRÁTICA DIÁRIA — 126

Capítulo 6 Olaya	129
Capítulo 7 O MWH para a Saúde	147
Capítulo 8 O MWH para o Desempenho	171
PROTOCOLO MWH: RESPIRAÇÃO TURBINADA PARA AUMENTAR A RESISTÊNCIA	177
O MWH MELHORA SEU DESEMPENHO ATLÉTICO?	182
EXPERIMENTO nº 3 DO MÉTODO WIM HOF	182
EXPERIMENTO nº 4 DO MÉTODO WIM HOF	187
POR QUANTO TEMPO VOCÊ CONSEGUE MANTER A POSTURA DO CAVALO?	187
Capítulo 9 A Verdade Está do Nosso Lado	191
RESPIRAÇÃO PARA AMENIZAR A DOR	197
Capítulo 10 Um Dia na Vida do Homem de Gelo	203
PROTOCOLO MWH: BANHOS GELADOS E MERGULHOS NO GELO	211
Capítulo 11 Vamos nos Libertar do Nosso Fardo Ancestral	213
RESPIRAÇÃO PARA MELHORAR O HUMOR	226
Capítulo 12 Além dos Cinco Sentidos	229
INTEROCEPÇÃO COM A RESPIRAÇÃO	236
A INTEROCEPÇÃO DO BATIMENTO CARDÍACO	240
Capítulo 13 Imerso na Luz Interior	241
RESPIRAÇÃO PARA CONTROLE DO ESTRESSE	248
EXPERIMENTO nº 5 DO MÉTODO WIM HOF	248
Epílogo Como Mudar o Mundo	257
Agradecimentos	261
Perguntas Mais Frequentes	263
Notas	271
Glossário	279
Leituras Adicionais	291
Créditos das fotografias	296

APRESENTAÇÃO
Um Encontro Improvável
Dra. Elissa Epel

Aquele era um lugar improvável para uma pesquisadora um tanto conservadora de uma escola de medicina: uma conferência sobre bem-estar no mundo dos negócios, realizada em Palm Beach, na Flórida (Estados Unidos). Eu me perguntava se deveria de fato estar ali e lembrava a mim mesma de que deveria manter a mente aberta –, pois nunca sabemos o que a vida nos reserva, quem podemos encontrar, o que podemos aprender. E, *voilá*! A razão de eu estar ali foi revelada! Lá estava ele, caminhando para o palco, vestindo uma camiseta quando a maioria usava terno e uma barba que parecia dizer: "Tenho coisa melhor a fazer do que perder meu tempo aparando a barba...". Wim Hof nos contou parte da sua história. Depois nos ensinou a fazer os exercícios respiratórios do seu método. E fiquei absolutamente impressionada.

O que Wim descreveu da experiência dele era exatamente o que eu andava procurando: maneiras de aumentar o estresse hormético do corpo. Teoricamente, a exposição ao estresse pode ter efeitos prejudiciais em altas doses, mas em baixas doses pode, na realidade, causar mudanças no nosso corpo que nos deixam mais fortes e saudáveis; isso é o que chamamos de "estresse hormético". Pesquisadores do estresse como eu passam muito tempo investigando o lado negro do estresse, procurando saber como o estresse crônico e a depressão desgastam o nosso corpo, como eles abreviam os nossos telômeros* e contribuem para o surgimento de doenças. Mas também sabemos que o estresse pode ter um efeito benéfico. O estresse agudo de curta duração pode causar poderosas mudanças positivas em nossas células. Se o corpo de um verme for ligeiramente aquecido, por exemplo, isso pode prolongar a vida dele; mas experimente exagerar no calor e você vai causar o efeito contrário: antecipará o funeral da pobre criatura. Estudos sobre o estresse hormético em serem humanos são escassos, o que deixa muitas perguntas sem resposta. Será que existem maneiras naturais de desbloquear com segurança os efeitos positivos do estresse em nossas células? Será que o nosso corpo já possui as chaves para aumentar o nosso bem-estar? Onde começamos a busca por essas respostas? Me pareceu, ao ouvir Wim Hof falar, que ele estava nos oferecendo um bom mapa para explorarmos.

Logo após a palestra, um casal se aproximou de mim: Victor e Lynne Brick. Victor, depois de perder tragicamente o irmão, vítima de um distúrbio mental, estava procurando maneiras de apoiar a pesquisa sobre métodos naturais para prevenir ou até curar a depressão e outros problemas graves de saúde mental. (Apesar dos muitos anúncios de medicamentos antidepressivos na TV, várias meta-análises indicam que as soluções da Big Pharma** não tra-

---

* Estruturas responsáveis por manter a estabilidade estrutural do cromossomo, protegendo e assegurando que a informação genética (DNA) seja totalmente copiada e replicada quando a célula se duplica. (N. da T.)
** Termo pejorativo usado para designar a indústria farmacêutica. (N. da T.)

14

zem benefícios além do efeito placebo.) Dessa reunião, um estudo se iniciou.

Quando voltei para a Universidade da Califórnia, em San Francisco, e contei aos meus colegas sobre Wim Hof e seu método, não fui logo de cara perguntando, "Podemos estudar o Homem de Gelo?". (Essa é a primeira coisa que talvez você descubra sobre Wim: o apelido dele.) Muitos documentários sobre ele mostram pessoas em pequenos círculos, praticando o método junto com ele. Dá para sentir a adrenalina e a coesão do grupo, enquanto exercitam os limites da regulação do próprio corpo, expondo-se ao gelo apenas de *shorts* (talvez durante um inverno frio da Polônia), enquanto se aquecem com a atitude mental e os exercícios de respiração do método de Wim. Nesses documentários, você vê pessoas fazendo flexões, enquanto prendem a respiração (mais flexões do que julgavam ser capazes). Vê jovens procurando a ajuda dele, principalmente homens, com o machismo de alto desempenho no ar. Ouve relatos de curas milagrosas, feitos por pessoas enfermas que praticam o método. Todos esses são sinais de alerta para pesquisadores conscienciosos das faculdades de medicina. Mas o potencial para desencadear novos efeitos poderosos do estresse hormético superou o sentimento de alarme dos cientistas, diante das afirmações extraordinárias desse homem e da reação de ceticismo à sua popularidade crescente. Meus colegas viram o potencial dele, assim como eu. Para nossa alegria, Wim Hof foi totalmente favorável ao nosso estudo rigorosamente controlado.

Com a fama de quem bateu 26 recordes mundiais e foi tema de documentários e livros populares, Wim sabe que histórias e casos reais nem sempre bastam para dar credibilidade a um método no mundo da medicina. Ele tem consciência de que o caminho da pesquisa – lento, meticuloso e com a dose necessária de objetividade e ceticismo – é o único para se compreender e aplicar esse método ao campo dos tratamentos de saúde. A pesquisa pode nos ajudar a desvendar os mecanismos do método, documentar sua segurança e eficácia, e determinar, com testes clínicos controlados, como ele afeta as pessoas doentes. Até o momento, o método foi testado em pequenos estudos-piloto e se mostrou capaz de causar melhora na resposta do sistema imunológico à endotoxina[1] e na artrite inflamatória da coluna, o que sugere que ele possa reduzir a inflamação crônica e os sintomas.[2] O método está sendo testado em pessoas com lesões na medula espinhal, que não são capazes de ativar facilmente seus sistemas autônomo e cardiovascular com exercícios. Ele também está sendo praticado por idosos, entre eles alguns membros do grupo de praticantes do Método Wim Hof com mais de 90 anos. Wim sabe que a pesquisa rigorosa é o caminho que levará a descobertas que darão às pessoas mais controle sobre sua saúde e bem-estar.

Tenho acompanhado de perto as atuais pesquisas revisadas por pares sobre o Método Wim Hof. Minha conclusão é a de que precisamos de mais estudos sérios sobre esse método, pois ele tem um potencial inigualável para melhorar a saúde e retardar o processo de envelhecimento. Em nosso estudo no Departamento de Psiquiatria da Universidade da Califórnia, passamos um ano inteiro ensinando o Método Wim Hof a pessoas com altos níveis de estresse no dia a dia e examinando de perto como ele afeta a reatividade emocional diária, a reatividade autonômica ao estresse e os indicadores celulares de envelhecimento. Nós não mencionamos o nome de Wim nem do método, porque isso invocaria o que chamamos de efeito "guru" – uma forte crença no método –, que não conseguiríamos igualar nas outras condições que estamos estudando (exercícios, meditação). O estudo deve ser concluído este ano.

Este é o início de um novo campo de estudo. Já conhecemos algumas especificidades do método, como o fato de seus exercícios de respiração serem capazes de alterar temporariamente o pH do sangue. O método inspirou muitas teorias sobre como ele funciona. Mas o que pensamos hoje sobre os seus mecanismos pode mudar ao longo do tempo, à medida que outras pesquisas forem realizadas. Estou muito animada com a perspectiva de aprender mais, para o benefício de todos nós e para que ocorra a tão necessária mudança no campo da saúde, de "cuidados com a saúde", para "autocuidados".

A história verdadeiramente notável aqui é a do próprio Wim, assim como ele revela nestas páginas. Não foi a busca pela fama que o levou a realizar feitos como nadar mais de 30 metros sob a superfície de um lago congelado ou caminhar com um grupo até o topo do monte Kilimanjaro durante 28 horas. Mas esses feitos falam por si só. Eles mostram que o método pode nos fazer superar os nossos limites presumidos, que podemos desbloquear o vasto potencial do nosso corpo e da nossa mente. A verdadeira história que precisa ser contada é a da paixão de um homem, seu amor pela natureza, por todos os seres vivos, pela sua família, pela humanidade e, portanto, sua determinação para compartilhar o que ele agora sabe sobre curar doenças. (Quando menino, Wim se sentia profundamente conectado com a natureza, tanto que se tornou vegetariano aos 13 anos por iniciativa própria, numa cultura de onívoros.) É também uma história de sofrimento e esforço humano – experiências humanizadoras e uma curiosidade insaciável que levou Wim a explorar os limites da mente e do corpo.

A verdadeira história é o fato de Wim nos mostrar o que todos nós somos capazes de fazer. O método subjacente requer algo exclusivamente humano – o poder da crença em nós mesmos, o poder de uma forte intenção, combinada com a atenção dirigida. O estado dialético único de relaxar durante o desconforto físico e a dor – provocados pelo gelo, pela água fria e pelo ato de prender a respiração; acho que esse é um estado notável! Como alguém que ama meditação, acredito que esse seja um estado especialmente interessante a partir do qual observar a mente. É diferente de meditar sentado, sozinho – o método tem um efeito intenso e agudo, exigindo nossa total atenção e interocepção*. Esse treinamento da mente e do corpo parece ter grande potencial para o desenvolvimento da resiliência ao estresse.

O método mostra claramente que nossas crenças determinam o quanto podemos fazer. Como Wim costuma dizer, "Se você acha que pode ou acha que não pode, nos dois casos você está certo". O grupo de pesquisa da Universidade de Radboud, na Holanda, liderada pelo dr. Kox e pelo dr. Pickkers, publicou um estudo mostrando que as expectativas de resultados otimistas estão associadas a algumas das respostas fisiológicas ao método.[3] O método requer a participação do corpo e da mente, e pelo menos de uma certa crença.

Estou muito feliz por ter participado daquela reunião em Palm Beach. E me sinto muito honrada por apresentar a você Wim Hof e o método dele, que pode ser uma das maiores revoluções no cam-

---

* Capacidade de reconhecer os estímulos e sensações que nosso corpo envia. (N. da T.)

po da saúde e dos autocuidados, e na nossa capacidade de aplicar e autoprescrever nossos próprios níveis de estresse hormético. A próxima geração de respostas cabe à ciência. Lembro a mim mesma, e a você, que a ciência é um processo lento de construção de conhecimento incremental, em que nenhum estudo isolado prova nada. Precisamos olhar com muito cuidado esse método e aqueles derivados dele, com autoexperimentação segura e investigação científica rigorosa. Portanto, sugiro que você suspenda quaisquer julgamentos automáticos de descrença. Em vez disso, dê livre passagem à sua curiosidade e mantenha a mente aberta. Experimente o Método Wim Hof em seu próprio corpo e faça suas próprias descobertas. Divirta-se!

PREFÁCIO
Está Tudo Aí para Você

Você gostaria de ter mais energia, menos estresse e um sistema imunológico mais forte? Gostaria de dormir melhor, aprimorar seu desempenho cognitivo e atlético, melhorar seu humor, perder peso e ser menos ansioso? E se eu dissesse que você pode conseguir todas essas coisas, e muito mais, desbloqueando o poder da sua mente? E que você pode fazer isso em apenas alguns dias?

À medida que a humanidade evoluiu e desenvolveu tecnologias que nos permitiram viver com muito mais conforto, perdemos nossa capacidade inata não apenas de sobreviver, mas de se dar bem em ambientes extremos. Na falta de estresse ambiental, as invenções que fizemos para tornar nossa vida mais fácil na realidade nos tornaram mais fracos. Mas... e se pudéssemos despertar os processos fisiológicos adormecidos que deixavam nossos ancestrais tão fortes?

Meu método, que desenvolvi e aperfeiçoei ao longo de quase quarenta anos, baseia-se em três pilares simples e naturais: a exposição ao frio, a respiração consciente e o poder da mente. Eu empreguei esse método para realizar feitos que muitos consideravam impossíveis e já bati mais de vinte recordes mundiais do *Guinness Book*, por façanhas em baixas temperaturas, intrigando médicos e profissionais de saúde do mundo todo. Uma dessas façanhas foi correr meia maratona no Círculo Polar Ártico, descalço e vestindo apenas *shorts*, e correr uma maratona completa no deserto do Namibe, na África, sem nem sequer beber água. Eu também nadei sob uma espessa camada de gelo durante mais de 60 metros e fiquei enterrado no gelo até o pescoço por horas, sem que a temperatura do meu corpo caísse. Também subi até o topo de algumas das montanhas mais altas do mundo vestindo apenas *shorts*. É verdade.

Essas proezas me renderam o apelido de Homem de Gelo, mas eu não sou um super-herói. Não sou uma aberração genética. Não sou um guru nem inventei essas técnicas. A exposição ao frio e a respiração consciente têm sido praticadas há milhares de anos. Eu não menciono minhas realizações por vaidade, mas como um lembrete de que somos capazes de muito mais do que imaginamos. Quero que você tenha um sentimento de reverência e admiração pelo seu corpo, pela sua mente e pela sua bela humanidade. Convido-o a testemunhar seu próprio ser florescendo, superando o seu condicionamento. Este método é acessível a todos. Tudo o que eu posso fazer, você também pode. Eu sei disso porque passei os últimos quinze anos transformando céticos em seguidores. Ensinei o método em todo o mundo e vi os resultados notáveis com meus próprios olhos. Pessoas que praticaram meu método foram capazes de reverter a diabete; aliviar os sintomas debilitantes da doença de Parkinson, da artrite reumatoide e da esclerose múltipla; e combater uma série de outras doenças autoimunes, desde lúpus até a doença de Lyme.[1]

O segredo para uma vida inteira de saúde e felicidade está ao seu alcance. Você pode praticar com segurança o Método Wim Hof sozinho, no seu próprio ritmo e no conforto da sua casa. Sem comprimidos, injeções, vitaminas, suplementos, equipamentos ou dietas especiais de qualquer tipo – tudo o que você precisa é de si mesmo e da sua vontade de desbloquear o potencial oculto do seu corpo. Este livro é seu guia.

Está preparado? Nas páginas a seguir, vou contar a história da minha jornada, desde meu nascimento, numa pequena aldeia holandesa, até a fama mundial que agora tenho. Vou explicar os detalhes do meu método, a filosofia que há por trás dele e a ciência que o fundamenta. Vou apresentar exemplos de praticantes que usaram o método para transformar radicalmente a própria vida. Ao fazer isso, minha esperança é inspirar você a retomar o controle do seu corpo e da sua vida, liberando o imenso poder da sua mente. Está tudo aí para você! E não há tempo a perder.

Vamos em frente.

CAPÍTULO 1
O Missionário

A respiração é uma porta. Sem a respiração, o que existiria? É onde você, eu e todas as pessoas começamos. É onde toda a vida começa.

Eu tenho um irmão gêmeo, mas, na época em que nascemos, em 1959, na Holanda, não existiam ecocardiogramas para detectar que havia outro bebê na barriga da minha mãe. Por isso eu ainda estava no útero quando ela foi levada para a sala de recuperação, depois do parto do meu irmão, Andre. Mas ela sentiu algo esquisito. Ainda havia algo dentro dela, só não sabia o que era. E, claro, durante o parto, as mulheres têm muitas sensações confusas.

Mas o que aconteceu? Ela se sentiu estranha depois de dar à luz Andre. E como já havia dado à luz quatro filhos, sabia que não estava enganada. Ela nunca tinha se sentido daquele jeito depois de qualquer um dos seus partos. E ali estava ela na sala de recuperação, quando exclamou: "Tem algo mais aqui, doutor". O médico, porém, não lhe deu muita atenção. "É assim mesmo depois do parto", disse ele. "São apenas mais contrações, só isso". O médico foi embora e, mais uma vez, deixaram minha mãe sozinha na sala de recuperação. Mas a sensação dentro dela foi ficando mais forte e, num determinado momento, ela percebeu que havia outro bebê. Começou a gritar para chamar as enfermeiras e, *por fim*, depois de várias visitas das enfermeiras, tentando tranquilizá-la e dizendo que o médico estava certo – que eram contrações e ela não devia se preocupar, que aquela dor iria passar –, eles descobriram que, sim, havia de fato outro bebê. Mas não só isso: esse outro bebê provavelmente iria morrer se eles não intervissem naquele exato momento.

Elas empurraram a cama de volta até a sala de cirurgia, para fazer uma cesariana, porque acharam que eu estava muito mal posicionado para nascer de parto normal. Isso colocou minha mãe num estado alterado de consciência e ela se fixou no pensamento terrível de que eu poderia morrer. Pouco antes de chegar à sala de cirurgia, ela gritou: "Meu Deus, deixe meu filho viver! Vou fazer dele um missionário!". Ela temia que eles fossem cortá-la e ela perderia o bebê. Nesse momento, o poder do medo despertou a força da sua crença inabalável. Minha mãe era muito forte, piedosa e inteligente, uma católica devota. Antes de começar nossa família, aos 28 anos, ela trabalhava num escritório e era muito independente. Naquela época, as mulheres não podiam mais trabalhar depois de ter filhos. Elas tinham que ficar em casa e o marido se encarregava de garantir o sustento da família. Ela já tinha três filhos quando eu e meu irmão nascemos e, depois de nós, nasceram mais quatro – e, a cada nascimento, ela sentia que estava recebendo um presente de Deus. Por ser católica, começou a ter filhos por achar que devia isso a Deus e manteve a mesma atitude prática, realista e obstinada ao criar os filhos. Ela não teve uma educação formal. Os pais foram agricultores e ela e os irmãos tiveram que lutar com a ausência da mãe, que era esquizofrênica e foi internada numa clínica psiquiátrica. O pai deles criou os filhos sozinho, o que na época era muito raro.

26

Agora minha mãe, com sua forte crença em Deus, estava tentando, com a sua fé, me trazer ao mundo com vida. E, no frio do corredor, nasci graças a uma força desconhecida para ela ou qualquer outra pessoa, evocada devido ás circunstâncias. Pode ser que muitas outras crianças tenham nascido ou nascerão em condições muito extremas – talvez até mais extremas. Mas será um karma? O meu destino? Eu não sei. Naquele momento, eu não era quase nada. Estava roxo porque já sufocava. Quase morto de frio. Mas fui invocado pela minha mãe com tamanha força, como uma tatuagem na minha alma, sem ter nenhuma referência na qual me basear para saber o que estava acontecendo. Eu era uma coisinha minúscula. Indefesa. Mas comecei a respirar.

Foi assim que começou a minha vida. Eu quase não sobrevivi. E, claro, não consigo me lembrar do que aconteceu, mas minha mãe contou essa história muitas vezes. Talvez por causa do meu nascimento inusitado, eu sempre ansiei por uma coisa diferente, por algo mais, mais profundo, místico – algo fora do comum. Eu me lembro que, aos 4 anos, tive um momento de epifania que me fez paralisou por completo. Eu vi simplesmente luz. Luz! *O que era aquilo?* Foi avassalador. Eu não estava pensando, estava apenas imerso na luz. Mas o que aquilo significava? Eu não sabia e ainda não sei. Mas a lembrança daquele momento nunca se apagará da minha memória.

Andre e eu dividimos um quarto minúsculo e a mesma cama durante dezesseis anos. Tínhamos o mesmo amor pelo incomum e economizávamos dinheiro para gastar em plantas exóticas. Mas, mesmo com nossas semelhanças, sempre me senti diferente dele. Eu era fascinado pelas fotos que tínhamos penduradas nas paredes, de templos do Tibete. Aos 12 anos, já praticava yoga, hinduísmo, budismo – o que se pode chamar de disciplinas esotéricas –, assim como estudava psicologia. Mas eu não era o melhor aluno da família. Minha mãe era amorosa e solícita, mas muito rigorosa também, e exigia que tivéssemos uma mente afiada. Não tínhamos dinheiro, pois meu pai tinha problemas de saúde que o impediam de trabalhar regularmente. A inteligência convencional era a moeda emocional da época. Meus irmãos mais velhos se esforçavam para se tornar os melhores na escola, mas eu não tive chance para isso. Andre e eu fomos apelidados de *PeePee's* e éramos inseparáveis, tanto que às vezes parecíamos uma só pessoa. Mas eu sempre me senti uma espécie de ovelha negra, um pouco mais estranho, agitado, simplesmente diferente.

Quando eu tinha 7 anos, lembro-me de estar brincando num pasto coberto de neve com meus amigos, construindo uma espécie de iglu. Quer dizer, algo com a aparência que você acha que um iglu possa ter quando tem 7 anos. Depois de um tempo, todos os meus amigos foram para casa e eu fiquei para trás. E um sentimento de alegria se derramou sobre mim e me fez sentar na neve. Ficou tarde e meus pais e irmãos começaram a procurar por mim, porque eu não tinha chegado em casa. Para mim, não era incomum ficar brincando na floresta perto de nossa casa, em Sittard, construindo cabanas, brincando de Tarzã e fazendo tudo o que as crianças costumam fazer, mas dessa vez eu estava na neve.[1] Eu adorava a neve naquela época, tanto quanto gosto agora. Mas fiquei fora de casa por tanto tempo que eles ficaram preocupados. Quando me encontraram, eu já estava dormindo no chão há um bom tempo e resisti quando tentaram me acordar. Mais tarde, descobri que estava passando pelo início do que é conhecido como "a morte branca", estado em que você pode cochilar, ficar hipotérmico, entra em coma e bater as botas. Quer dizer, trata-se de algo irreversível se não se aplicar nenhuma fonte de calor externa[2]. Então eles me tiraram da neve e me levaram para casa, o que foi bem difícil, porque eu já estava hipotérmico. Mas me recuperei.

Aos 11 anos, aconteceu a mesma coisa. Fui para a escola e, no caminho para casa, decidi que queria me sentar. O clima estava frio e enregelante, mas eu me sentei na varanda de um vizinho e peguei no sono. Não me lembro bem do que aconteceu, mas pelo que sei alguém telefonou para chamar uma ambulância e avisar que havia uma criança dormindo na neve ali fora. Acordei no hospital e eles me deixaram ali em observação durante uma semana. Novamente eu me recuperei, mas sabia muito bem que poderia ter morrido se alguém não me acordasse e me levasse para um lugar quente. O maior problema da hipotermia é que você não quer acordar, você só quer dormir. O fato é que, não sei bem por que aconteceram, mas aqueles foram meus primeiros encontros com o frio. E, apesar do perigo muito real que corri, ambos foram realmente muito legais. Eu me sentia feliz. Você dorme e tudo bem. Muito obrigado, adeus vida. Está tudo bem. Sem preocupações. Sem medos. Sem nada. Apenas uma sensação agradável e reconfortante.

Em outra época, quando eu era mais novo, talvez com uns 6 anos, meus amigos e eu estávamos brincando perto da floresta. Um deles jogou uma garrafa de água suja do riacho em mim, que na verdade era água de esgoto, cheia de bactérias, e isso me deixou muito doente. O garoto que jogou a água em mim não tinha más intenções, não acredito que tivesse. Ele estava apenas fazendo uma travessura, mas ao mesmo tempo querendo se impor, dizendo, na realidade, "Eu tenho 8 anos e sou muito maior do que você. Olhe o que posso fazer". Eu ainda consigo me lembrar da minha sensação de impotência. Eu não podia fazer nada, porque ele era um cara muito maior e mais velho do que eu, então não tinha escolha a não ser me resignar com o *bullying* e ir para casa. E depois disso, passei as duas noites seguintes vomitando bile, antes que meus pais finalmente decidissem me levar para o hospital.

Acontece que eu havia contraído a síndrome de Weil, uma forma muito grave de leptospirose, causada principalmente pelo contato com a urina de ratos de esgoto.[3] A infecção era tão grave que fiquei internado durante três semanas, mas, claro, me recuperei bem. Esses momentos marcaram meus primeiros encontros com a neve e a infecção bacteriana, e ambas desempenharam um papel importante na minha vida, alguns anos depois. Suponho, inclusive, que esses episódios estivessem anunciando o que o destino me reservava.

Desde pequeno, eu gostava de ouvir histórias. Sempre que as pessoas começavam a contar histórias, histórias *reais*, de algo do mundo lá fora, algo estranho, profundo, eu ficava intrigado e concentrava toda a minha atenção na narrativa. Elas podiam me engolir no vórtice da contação de histórias. Fora isso, eu era uma criança que gostava muito de brincar. Gostava de brincar de Tarzã e adorava passar o tempo ao ar livre, na floresta. Brincávamos fazendo cabanas nas árvores e nos pendurando em galhos, saltando de árvore em árvore, com "cipós" que fazíamos com pneus de bicicleta velhos. Nós amarrávamos uns nos outros, nos pendurávamos nos galhos e depois nos balançávamos de uma árvore para outra, fazendo o chamado da selva do Tarzã o mais alto que podíamos, porque éramos macacos. Fazíamos de conta que éramos macacos e adorávamos isso. Éramos *de fato* Tarzã.

Como adorávamos ficar ao ar livre, meu irmão gêmeo e eu nos aventurávamos na natureza, na floresta, sempre que possível.

Passávamos o dia todo construindo cabanas, subindo em árvores, cavando a terra e assando batatas numa pequena fogueira que fazíamos. Até hoje acho que aquelas batatas foram as melhores que já comi na vida. Tinham apenas um pouco de sal, mas pareciam tão deliciosas, tão requintadas! Representavam nossa liberdade e nem o melhor restaurante poderia superá-las em sabor, porque comíamos em conexão com a natureza. Estar ao ar livre intensificava todos os nossos sentidos. Acho que hoje em dia muitas crianças perdem isso. Elas estão tão envolvidas com seus computadores, jogos e realidades virtuais que perdem de vista a verdadeira realidade: a natureza, que estimula, desenvolve e aguça os sentidos. Essa desconexão com relação à natureza contribui, acho eu, para a depressão e outros problemas, o que é lamentável.

Embora seja verdade que aos 12 anos eu já estava estudando psicologia, hinduísmo, budismo e yoga, eu também era coroinha, como tantos colegas meus. Isso, é claro, era por causa da minha mãe, que era católica praticante. Ela era muito devota e, por isso, exigia que os filhos frequentassem a igreja com ela, todo domingo. Mas, embora eu me esforçasse por respeito à minha querida mãe, simplesmente não conseguia sentir uma conexão com a igreja e, em vez disso, achava a experiência muito chata. Por causa desse tédio, acabei desenvolvendo um sentimento de rejeição com respeito aos cultos católicos, mas minha mãe insistia em afirmar que era nossa obrigação moral fazer isso. E não havia como escapar de uma mãe assim. Não da minha mãe. Ela nos mantinha a rédeas curtas e meus irmãos e eu éramos obrigados a suportar incontáveis domingos na igreja, onde, na minha visão juvenil, nunca parecia acontecer nada de muito interessante. Eu era um menino que adorava os sábados, pois nesse dia da semana eu podia ir à floresta, me sujar e dar meu grito de Tarzã a plenos pulmões. Aos sábados, podia correr pela floresta, construir algo do nada, inventar mil brincadeiras. Podia me entregar à liberdade de brincar. Uma floresta é como um país das maravilhas para uma criança de imaginação fértil. É bem diferente de uma igreja.

Aos 13 anos, decidi me tornar vegetariano, o que era uma coisa bem radical para um garoto da minha idade – ou qualquer outra pessoa – que vivesse na cultura da qual eu fazia parte, onde todo mundo comia carne e considerava isso algo perfeitamente normal. Mas, pouco tempo antes, eu tinha conhecido um senhor que, à sua maneira, protestava contra aquela cultura. Era quase época de Natal e ele me disse: "Se Deus tem alguma consciência e está na hora de haver paz na Terra, como ainda podemos aceitar o maior massacre em massa que já aconteceu neste planeta?". Como isso é possível? Então comecei a pensar sobre os animais que consumimos e a forma como são tratados pela indústria da carne, e comecei a ver a crueldade disso. Animais vivos eram transportados em caminhões e mortos de forma desumana. Não havia nada de natural nisso, nenhum elemento humano do tipo caçador-coletor. Era apenas massacre e crueldade. Para quê?

Quanto mais eu pensava nisso, mais determinado eu ficava a diminuir a quantidade de carne que consumia a cada dia. Resolvi ficar muito atento a isso e, em alguns meses, não estava comendo mais carne. Pelo fato de a cultura daquela época ser o que era, isso instantaneamente fez que as pessoas me rotulassem como alguém diferente – embora minha família tivesse aceitado minha decisão, considerando-a apenas como mais uma das minhas excentricidades. De repente passei a ser visto como um estranho no ninho. Parecia que todos me olhavam e apontavam para mim, dizendo: "Você é diferente! Você é diferente!". E eu era mesmo. Cultivava minha independência, construía meu próprio mundinho. Passando a ser vegetariano, estudando disciplinas esotéricas e usando o cabelo há muito tempo à moda *hippie*, eu estava começando a me separar da cultura convencional. Como muitas pessoas, eu sofria com as minhas tentativas de reprimir minha própria natureza. Quando aceitei que eu era diferente e fiz as pazes comigo mesmo, comecei a me afastar ainda mais, especificamente no que diz respeito à minha consciência e a forma como percebia o mundo à minha volta. Eu era um menino sensível. Aprendi a abrir meu próprio caminho.

Nunca fui um aluno brilhante. Quando se tratava de História, Gramática, Matemática, Ciências e tudo o mais, minhas notas ficavam apenas na média. Eu não era um aluno ruim, veja bem, mas também não era excepcional, e estava convencido de que não conseguiria entrar na faculdade assim como meus irmãos estudiosos. Para as famílias numerosas daquela época, ir bem na escola era uma questão de sobrevivência. As pessoas sempre me lembravam de que aqueles que frequentam as melhores escolas eram os que iam para as melhores universidades, o que possibilitava ótimas carreiras e todo tipo de conforto que acompanha esse tipo de sucesso. Por isso eu me matriculei num curso de fim de semana no qual eu poderia provar meu valor, apesar das minhas limitações como estudante. Por ser bem articulado e participar ativamente das discussões, consegui passar no curso em seis semanas e ser admitido para o ensino superior. Mas não demorou muito para eu ver que aquele tipo de instituição de ensino não era para mim, e acabei desistindo antes de completar o primeiro ano da faculdade.

Sim, abandonei os estudos e não tenho nenhuma vergonha de dizer isso. Sou alguém que desistiu da faculdade e que agora ensina professores e médicos do mundo todo. O trabalho que faço é justamente para abrir novos caminhos e reescrever a literatura científica, pelo menos até certo ponto, *porque* sou alguém que desistiu dos estudos. Estar fora da universidade, sem saber o que acontecia nos círculos acadêmicos, fez que eu apenas seguisse o fluxo natural das coisas e tentasse sobreviver na sociedade com a força da minha intuição e dos meus instintos. A sociedade como um todo é muito obcecada por resultados tangíveis e para que nos tornemos algo definível para outros. Um advogado, um banqueiro, seja o que for. Mas esse não era meu caminho. Meus instintos e minha intuição estavam me levando numa direção diferente, e isso aconteceu por causa da minha mãe. Ela não apenas invocou, mas imprimiu isso nas profundezas do meu DNA, da minha alma e do meu espírito. Desde o nascimento, fui obrigado a seguir uma missão diferente. Isso não me torna especial ou único, mas acredito que a vida seja especial e nós devemos tratá-la dessa maneira.

CAPÍTULO 2
O Nascimento do Homem de Gelo

Sittard, minha cidade natal, está localizada na região mais ao sul da Holanda, a menos de um quilômetro da Alemanha e a um pouco mais de dez quilômetros da Bélgica, na parte mais estreita do país. Por isso, na juventude, fui influenciado tanto pela cultura alemã quanto pela belga, pelas duas populações, a de língua francesa e a de língua alemã e, também, é claro, pela língua e a cultura do meu próprio país. Dos 12 aos 17 anos, entreguei jornais, o *Algemeen Dagblad* e o *De Telegraaf*, nas primeiras horas da manhã. Esse é um horário muito diferente do dia, não há quase ninguém na rua e você pode pedalar sua bicicleta no ritmo dos elementos da natureza.

Sempre fui um sujeito simples e continuarei sendo assim. Gosto muito mais da minha velha bicicleta do que de todas as bicicletas novas de hoje em dia, com seus enfeites brilhantes e iridescentes, todos os seus acessórios e dispositivos. Fui para a Espanha três vezes e quase fui parar na África, pedalando uma bicicleta velha. Não sei o que as bicicletas velhas têm, mas elas conquistaram meu coração.

A região onde eu entregava jornais era um pouco acidentada, o que tornava um desafio transportar uma carga pesada numa bicicleta. Eu subia uma ladeira com uma cesta cheia de jornais e ela era tão pesada (a volumosa edição de sábado, especialmente) que eu tinha de parar no meio da ladeira, entregar os jornais e depois continuar. Isso me deixou mais forte. Acabei conseguindo subir as ladeiras sem precisar parar na metade do caminho. Num concurso que ocorreu num festival em Sittard, consegui pedalar um quilômetro numa bicicleta ergométrica num minuto e dois segundos. Não pensei muito a respeito até ver um ciclista profissional fazendo um quilômetro num minuto e quatro segundos e depois outro, num minuto e seis segundos. Ganhei o concurso. Todas aquelas manhãs subindo e descendo ladeiras para entregar jornais, sob o sol, com neve ou chuva, me deixaram mais forte, e não apenas fisicamente. Isso me ensinou a ter disciplina.

A histórica praça do mercado, em Sittard, minha cidade natal, na Holanda.

Durante cinco anos, eu acordava diariamente às 3:30 da manhã, saía me arrastando da cama e já ia direto para a posição de flexão. Fazia cinquenta flexões e me sentia mais acordado. Meu pai servia a mim e aos meus irmãos uma grande xícara de café e saíamos às 4:00 da manhã para nossa rotina de entregar jornais. Era uma rotina muito rigorosa. Eu saía madrugada adentro carregando vários fardos de jornal e subia e descia as colinas de Sittard. Ouvia todos os tipos de pássaros e via coelhos na rua, e era tudo tão mágico e contemplativo! Eu via e sentia coisas que, por estar sozinho, não exigiam palavras. Era só eu e minha bicicleta e os jornais nas ladeiras da cidade. Fiz isso todos os dias, durante cinco anos. Essa experiência foi, com certeza, a base do meu caráter disciplinado. Eu era forte como um soldado das forças especiais das forças armadas. Por isso recomendo que toda criança, se ela quiser ser forte, entregue jornais numa região montanhosa. Você começa a conhecer a si mesmo, porque não há mais ninguém por perto com quem conversar. E passa a contemplar a paisagem, ver o mundo em paz, sem fofocar sobre nada nem ninguém. Você está sozinho e tem que cumprir sua tarefa, independentemente das condições meteorológicas. Você vai até o fundo de si mesmo. Isso é força.

Com essa força recém-descoberta e toda a confiança que a acompanha, eu parti numa jornada de bicicleta, aos 17 anos, com meu irmão gêmeo, rumo à Espanha. Viajamos milhares de quilômetros pedalando. Eu ainda tinha as antigas cestas onde levava os jornais na minha bicicleta, então apenas acondicionei ali alguns itens de primeira necessidade. Foi uma linda experiência. O mês de outubro, na Holanda, é quando o outono atinge seu apogeu e o frio começa a se misturar com a chuva, derrubando as temperaturas. Andar de bicicleta com a água da chuva molhando a pele aumentava muito a sensação de frio, por isso ficávamos gelados. Mas prosseguíamos mesmo assim, pelas montanhas Ardenas, na

Bélgica. Eu me lembro da neve e do clima muito frio. À certa altura, tivemos que parar porque precisávamos comer alguma coisa, mas a única coisa que tínhamos conosco era aveia, flocos de aveia, que para mim tinha gosto de avelã. Deliciosa...

Se mergulhar na natureza, nas intempéries, a ponto de seu corpo ter de se esforçar ao máximo e todos os seus sentidos serem realmente ativados, e comer apenas quando seu corpo tem fome, não nos horários fixos das refeições, você verá que seu apetite mudará de uma maneira tão profunda que até flocos de aveia vão parecer um banquete. Nós perdemos a maior parte dessa conexão com a natureza hoje em dia, esse sentido profundo e, portanto, muitos de nós não são capazes de incorporar seus valores à vida cotidiana. Mas, naquela época, nas estradas frias, pedalando uma bicicleta, sentíamos essa conexão profunda e, desde então, carregamos esse sentimento conosco no coração.

Andre e eu atravessamos as Ardenas pedalando e aos poucos fomos nos aproximando da região mediterrânea do sul da França, a Côte d'Azur. Ao longo da nossa viagem, testemunhamos a mudança não só no clima, que foi ficando cada vez melhor, mas também na vegetação, na arquitetura e no comportamento das pessoas. Conforme as temperaturas aumentavam, as pessoas saíam mais nas ruas, conversavam mais e pintavam suas casas com cores mais vibrantes. Outubro, no sul da França, é uma época maravilhosa e, dali, seguimos para a ensolarada Espanha, onde era a época da colheita de melões, laranjas e figos. Vivemos momentos maravilhosos colhendo todas aquelas frutas e contemplando a paisagem ao redor. Como você pode imaginar, viajar de bicicleta é simplesmente diferente. Não é como viajar de carro. Sentar-se num carro é como assistir à TV; você apenas fica sentado ali e observa o que está acontecendo do lado de fora da janela. Mas, quando viaja de bicicleta, você recarrega suas baterias, olha em volta e tudo se amplia, porque você estabelece uma conexão direta com seus arredores. Mais de quarenta anos depois, ainda posso sentir o gosto daquelas frutas, sentir o cheiro da doçura no ar. Ainda posso sentir tudo isso, agora na casa dos 60 anos.

Um dos meus objetivos é fazer que todas as pessoas compreendam esses sentimentos mais profundos suscitados pela conexão com a natureza. Você é Tarzã. Você é Jane. Você é um rei. Você é uma rainha. A coroa não é apenas um símbolo para colocar na cabeça de um homem intitulado "rei", mas uma aura que o envolve quando você está radiante, quando seu cérebro está totalmente vivo. Você irradia um campo eletromagnético, que é a sua coroa. Essa energia é o que faz de você um rei ou uma rainha. É uma coroação natural. Por isso, comporte-se como um rei ou uma rainha e ostente orgulhosamente a sua coroa, porque é isso que você é por dentro.

Eu não sabia, mas estava procurando exatamente isso naquela época. Essa conexão. Eu estava procurando algo dentro de mim que não conseguia expressar em palavras, mas, com o tempo e a experiência, comecei a descobrir. A invocação de minha mãe foi realmente um divisor de águas na minha história. O poder de uma mãe é bom e cheio de amor, porque vem da natureza. É melhor escutá-lo. Ela sabe das coisas. Está ali ao seu lado. E é assim que deve ser. Aproveitei o amor de minha mãe, a invocação dela, e comecei, aos 17 anos, a explorar conscientemente as camadas mais profundas de mim mesmo, obtendo uma consciência aguda de que havia mais para o mundo e para mim do que meus olhos podiam ver. Existia muita coisa não vista nesta vida e eu ansiava desesperadamente por ver tudo isso.

Eu sabia um pouco de francês e aproveitei esse conhecimento para me comunicar com as pessoas que encontrávamos em nossa jornada. Embora meu vocabulário fosse limitado, ainda assim conseguia me relacionar com essas pessoas, porque estava dando a elas algo que ia além da linguagem e que vinha de dentro de mim, do meu coração. Era um sentimento, um sentimento profundo que agora eu entendo melhor, mas na época eu apenas percebia. Conhecer pessoas mais exuberantes e abertas ampliou meus horizontes. Isso permitiu que eu me reconciliasse com as partes de mim mesmo que os outros consideravam estranhas ou diferentes. E, quanto mais para o sul viajávamos, quanto mais longe estávamos da Holanda e das nossas experiências e crenças culturais condicionadas, mais perto eu me sentia de mim mesmo. Essa viagem provocou em mim algumas epifanias. Eu consegui me livrar da sensação, que geralmente me perseguia, de ser visto com preconceito. É incrível o que pode acontecer dentro do seu ser, se você chega lá no fundo e encontra sua luz interior. Você simplesmente sente. Estou convencido de que todos os que avançam conscientemente para essa luz estão procurando a mesma coisa: um propósito.

Perto da fronteira entre a França e a Espanha, nos Pirenéus, Andre e eu conhecemos um homem chamado Wolfgang. Ele era alemão e um pouco mais velho que nós dois. Metade do ano, ele trabalhava na Alemanha como enfermeiro e, na outra metade, montava na sua bicicleta e pedalava para a África. Wolfgang já havia completado duas dessas viagens na época em que nos conhecemos, e me lembro de uma história que ele contou sobre uma viagem pelo deserto sudanês – o Saara –, em que teve de caminhar ao lado da bicicleta, porque não conseguia pedalar na areia. Ele estava percorrendo uma trilha quando, em um dado momento, deu de cara com um leão, saído do nada! O animal olhou para ele e, provavelmente ao ver o reflexo do sol na bicicleta ou algo assim, fugiu em disparada. Mas, para Wolfgang, como podemos imaginar, foi um momento assustador. Isso, porém, não o impediu de fazer a mesma trilha outra vez.

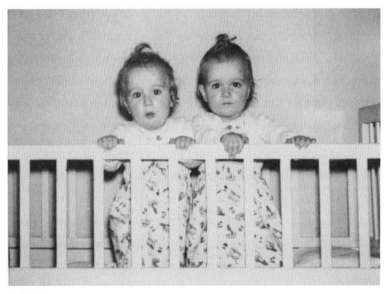

Andre e eu.

Outra coisa de que me lembro sobre Wolfgang é que ele ouvia atentamente tudo o que eu tinha a dizer. Ali estava eu, um garoto de 17 anos, imaturo, apenas começando a entender quem eu era, ao passo que ele era um homem de experiência considerável para alguém só alguns anos mais velho do que eu. Ele tratava a mim e às minhas ideias com respeito, nunca com desdém. Percebia que eu estava procurando algo no fundo de mim mesmo, sem saber exatamente o que era, e que podia aprender comigo. Mas, enquanto conversávamos, eu me dei conta de que estava contando coisas para uma pessoa mais velha, alguém com experiência em viajar pelo mundo. Um homem que tinha encontrado um leão solitário na savana e sobrevivido para contar a história. Ou seja, que tipo de medo um homem como ele poderia ter? Um homem com coragem para trabalhar metade do ano como enfermeiro e viajar a outra metade do ano sozinho, numa bicicleta, para a África? Não havia medo. Ele simplesmente sabia das coisas. E eu não, pelo menos *ainda* não. Eu simplesmente estava ali. Mas foi naquele momento que comecei a tomar consciência de que eu também poderia saber e, talvez o mais importante, acreditar que eu poderia chegar a esse conhecimento interior.

Essa foi uma epifania monumental para mim. Ter consciência de que esse tipo de conhecimento era possível me libertou do meu próprio medo e me fez seguir na direção desse conhecimento. Sabedoria natural, vinda do fundo do nosso ser, lá de dentro, é algo que todos nós temos naturalmente, mas às vezes estamos muito condicionados para reconhecer isso ou para acreditar. Muitas vezes confundimos esse conhecimento com sonhos ou, pior, ilusões. Mas ali estava eu de bicicleta, no sul da França e na Espanha agora, além dos Pireneus, fazendo amizade e conversando com Wolfgang sobre filosofia e outros assuntos incomuns, e me divertindo muito! Andre ouvia nossas conversas de vez em quando, mas, na maioria das vezes, pedalava a uns quatrocentos metros à nossa frente. Andre é muito mais pé no chão do que eu, mais prático, pode-se dizer.

Ele nos deixava conversando à sós quando estávamos muito entretidos na conversa e preferia não se intrometer. O nosso diálogo era tão profundo que passei por uma cascata de epifanias, chegando, pela primeira vez, a um certo entendimento do que era a verdadeira contemplação. Foi por meio dessa contemplação que pude ir aonde nunca tinha ido antes, tomar consciência das energias que existiam dentro de mim. Percebi que todas as pessoas têm esse local sagrado dentro de si e acessá-lo tornou-se o meu objetivo. Depois de fazer isso, tomamos consciência da nossa luz, do nosso ser, do nosso propósito. Está tudo aí, diante de nós, se soubermos onde procurar.

Lembro-me de um dia acordar numa plantação de melões e me sentir diferente. Eu não sabia o que era. Olhei mais uma vez para dentro de mim mesmo e ali estava: a energia que conecta o cérebro com as partes mais profundas da mente e forja uma compreensão mais arguta; isso é o que veio à minha consciência naquela manhã. Não havia dualismo. A mente e a natureza eram uma coisa só. É isso aí. Foi desorientador, a princípio, acordar e me sentir diferente do modo como eu estava acostumado. Não sabia o que era, porque eu era o mesmo de sempre. Estava conhecendo um novo eu, que, no entanto, estivera presente o tempo todo. Um eu transcendente. E, nas três semanas que se seguiram, permaneci naquele estado transcendente. Mas, depois, retornamos para a Holanda e voltei para o mesmo tumulto generalizado, para o mesmo condicionamento, que havia em tudo e em todos e em toda aquela viagem.

Naquela época, aos 17 anos, eu morava numa casa invadida. Naqueles tempos, na Holanda, a invasão de propriedades era uma prática aceita.[1] Algumas pessoas tinham tantas propriedades que nem sabiam o que fazer com elas e por isso existiam os posseiros. Esses invasores eram pessoas que simplesmente entravam na propriedade e diziam: "Você está só praticando especulação imobiliária com esta propriedade e, portanto, ela está desocupada. Isso não é certo! A propriedade é sua, mas ela é uma moradia e nós não temos onde morar. Então vamos tomar posse dela agora e pagar o gás e a eletricidade, e ponto final". Era assim que eu me sentia. Eu era alguém que estava fazendo um protesto contra a especulação imobiliária. Acreditava que estava fazendo a coisa certa e que tínhamos a obrigação de corrigir o que estava errado ou, pelo menos, mostrar oposição a isso. E eu morava ali naquela casa, como posseiro, havia oito anos. Aquele tempo representou um período de verdadeira liberdade para mim, porque eu vivia absolutamente sem regras. Eu já era um pária da sociedade, que vivia fora do sistema, e a invasão só serviu para reforçar e ampliar minha segregação. Isso me forçava a ser cada vez mais introspectivo e eu conseguia pensar livremente e fazer muita música.

Talvez hoje, na Holanda e em outros países, assim como nos Estados Unidos, a ocupação seja uma prática mais perigosa, mas aquela foi uma época idílica da minha vida. Era um lugar de pura liberdade. Em torno de cem pessoas viviam juntas, numa coexistência pacífica e numa abundância criativa. Praticamente sem a pressão de se encaixar na sociedade e de ganhar o próprio sustento, as pessoas naquele espaço podiam simplesmente deixar tudo de lado e seguir os próprios impulsos criativos. Tínhamos muita arte ali, muita música. Festivais. Conversas. E a energia exalava liberdade. Fiz muita música naqueles anos, participei de muitos debates e, devo dizer, foi nessa época que desenvolvi meu jeito mais livre de pensar.

Embora eu admita que a invasão não seja para todos, especialmente hoje em dia, eu acredito que todos deveríamos ter um tempo, um espaço na vida, em que pudéssemos viver livres assim, mesmo que fosse apenas um ano sabático. Você se retira da sociedade, porque deseja libertar sua própria mente, mas primeiro tem que aprender a se soltar. De que adianta se afastar de todas as regras, morais e éticas, de um sistema repressivo, se você não for capaz de expressar o seu próprio eu? Isso seria apenas um convite a um tipo diferente de estresse. Então ali estava eu, durante oito anos, me expressando. Eu estava vivendo livremente num lugar onde a expressão criativa era valorizada como deveria ser. Mas, ao mesmo tempo, eu me tornei muito disciplinado. A disciplina serviu como uma forma de libertação. E então, um dia, numa tranquila manhã de domingo, eu estava no Beatrixpark, pensando em tudo isso, quando vi uma fina camada de gelo sobre a água.

Senti uma atração que não conseguia explicar, mas olhei ao redor e não havia mais ninguém à vista. Eu poderia me despir e simplesmente entrar nu na água fria. E foi exatamente o que fiz. Eu me lembro com muita clareza que eu não me senti incomodado com o frio, apenas curioso. Essa curiosidade era muito mais forte do que a temperatura da água. Você consegue imaginar? Agora eu sei por quê, mas, naquele momento, eu simplesmente sentia.[2] E aquela água fria teve um efeito inesperado sobre o meu corpo: eu me senti muito bem! Eu estava brincando com uma fina camada de gelo ao meu redor, surpreso por ter a capacidade de simplesmente brincar na água gelada. Estava olhando para o gelo – sem entender aquilo, no entanto, apenas olhando – e pensando comigo mesmo: *"Uau, eu posso brincar! Estou dentro da água gelada! E tudo bem!"*. Todo mundo sempre dizia que era loucura entrar na água gelada. Você pode morrer, diziam. Não é bom! É um elemento adverso da natureza e temos que nos proteger dele! É nisso que fomos condicionados a acreditar, mas tudo isso desapareceu naquele momento. Eu me senti ótimo. Não fiquei na água por muito tempo, talvez um minuto, um minuto e meio, mas foi tempo suficiente para sentir a conexão, levada pela minha consciência, para dentro de mim. Aquilo estava além da linguagem ou do intelecto.

Agora podemos entender que a força da minha curiosidade, maior do que o frio da água, era uma demonstração do imenso poder da mente humana. Mas, infelizmente, a humanidade como um todo perdeu a conexão com esse poder, porque raramente, ou nunca, nos aventuramos nas intempéries. Ficamos refugiados na nossa casa aconchegante e aquecida, protegidos dos estressores ambientais que permitem que esse poder aumente em nós. Por isso, nossa mente não é capaz de transcender o impacto de forças extremas sobre o nosso corpo ou aceitar a verdade da mente sobre a matéria. Eu sei que essa é a verdade e tenho dedicado grande parte da minha vida à tentativa de demonstrar isso. Por décadas, enfrentei o desprezo e a incredulidade de pessimistas sem imaginação. Mas tudo começou, para valer, ali mesmo. Aquele foi o ponto de origem de toda a minha busca. Eu me sentia ótimo ao sair da água – apenas surpreso, sem realmente pensar. Apenas sentindo a onda de endorfinas, voltei para casa me sentindo ótimo.

Voltei a entrar na água gelada alguns dias depois e fiz a mesma coisa, obtendo os mesmos resultados. Claro, sempre que você se sente bem com algo, como aconteceu comigo, você tem de voltar a fazer a mesma coisa com frequência. Então foi isso o que eu fiz, várias vezes. Comecei a perceber que eu involuntariamente ofegava cada vez que mergulhava e achei isso intrigante. E quando, em determinado momento, fiz 25 respirações profundas, meu corpo formigou muito, como se uma eletricidade o percorresse. Não tenho certeza da razão por que decidi respirar daquela forma no momento, mas é bem provável que fosse simplesmente a minha intuição, um impulso que segui, assim como seguia o meu guia interior. Entrar na água faz você respirar mais fundo e com mais consciência. O dióxido de carbono sai e os músculos começam a se contrair. É fisiologia básica. Mas é também aquela eletricidade, o sistema nervoso autônomo, em ação. Foi uma sensação incrível e, com o tempo, uma rotina aos poucos foi tomando forma. Foi orgânico e progressivo, e essa experiência física do frio e de seguir meus instintos me levou a uma verdadeira descoberta pessoal da minha própria consciência, da minha conexão mente-corpo. Eu só tinha 17 anos e me sentia vivo e empolgado.

Com o decorrer do tempo, passei a me sentir tão abastecido com minha prática de respiração que o gatilho para respirar não existia mais. Eu chegava a ficar mais de cinco minutos sem respirar. Ao mesmo tempo, estava experimentando nadar na água gelada. Fiz isso em dias alternados, durante todos os invernos, durante 25 anos consecutivos. Naquela época, aprendi a controlar conscientemente meu corpo. Não aconteceu do dia para a noite, mas eu me lembro de me sentar ao ar livre numa noite gelada, vestindo nada além de *shorts*, e me sentir ótimo fazendo isso. Eu me sentia ótimo porque sabia que estava prestes a descobrir algo. E descobri. O Homem de Gelo havia nascido.

CAPÍTULO 3
Um Banho Frio Por Dia Mantém sua Saúde em Dia

Existe muito mais coisas, na vida, do que nossos olhos veem, caso você escolha sair em busca disso. O buscador se torna o descobridor, o descobridor de algo muito maior do que pensamos ser possível. A maioria de nós foi criada para seguir um caminho conhecido e previsível: você vai para a escola, escolhe uma carreira e depois, se tiver sorte, ganha um ano sabático, talvez um aumento. Essa experiência nos define, mas não abrange tudo o que somos, na verdade. Há muito, muito mais na nossa existência do que isso, naquilo que somos, lá no fundo. Há a nossa alma. E, ao acessar essa alma, descobrimos que nossa mente e nosso corpo são capazes de muito mais. Somos seres de luz que, por direito nato, temos poder sobre a nossa mente e a nossa alma. Está na hora de acordarmos para o verdadeiro poder que existe em cada um de nós. Conectando-nos conscientemente com o cérebro reptiliano, antes considerado inacessível, chegamos a uma nova fronteira, a da consciência do cérebro sobre o corpo. Essa consciência permite que realmente confiemos no nosso julgamento com base na intuição e nos instintos. Cheguei a essas constatações entrando na água fria e recondicionando minha mente e meu corpo para rejeitar o sentimento primordial e pré-histórico de que o frio é nosso inimigo e de que temos que acender o fogo e nos sentarmos dentro de uma caverna para combatê-lo. Não temos nada para combater, exceto nosso próprio condicionamento e o nosso medo.

Meu amigo americano Chris Ryan escreveu um livro, intitulado *Civilized to Death: The Price of Progress*, sobre esses sentimentos mais profundos, sobre como nos tornamos tão civilizados, tão encolhidos em nossas zonas de conforto, que isso acabou exercendo controle sobre nós. Ele argumenta que não vivemos mais na natureza, mas em oposição a ela. E a que, afinal, estamos realmente nos opondo? O frio e seu poder adverso não são nossos inimigos! O frio ativa nosso sistema vascular, que, se fosse estirado, daria quase duas voltas e meia em torno do planeta.[1] As doenças cardiovasculares são a maior causa de morte em nossa atual sociedade, mas não têm que ser assim. [2] Existem em torno de 100 mil quilômetros de veias, artérias e vasos capilares em cada um de nós.[3] Depois de milhões de anos de evolução, o sistema vascular é composto de milhões de pequenos músculos, que se contraem e abrem as veias e vasos em reação ao clima. Esteja o clima quente ou não, nossa temperatura corporal tem de estar em torno dos 36,5 graus. Se nossa temperatura cair apenas dois ou três graus, entramos em hipotermia, um estado hipotérmico. Se cair três graus ou mais, o caso é irreversível; a temperatura corporal cai drasticamente e o corpo não consegue mais se aquecer. Então, temos esse sistema vascular, que se abre e se fecha, para nos proteger do frio e do calor, para que a temperatura do nosso corpo possa permanecer dentro da normalidade. Trata-se de um sistema muito delicado.

Mas o que fizemos? Vestimos roupas. E gostamos demais dessas roupas, dos vestidos, ternos e gravatas bonitas. Eles são maravilhosos! Temos Gucci, Versace, Vanderbilt, todas essas modas que todos amam. Mas as roupas, na verdade, desestimulam nosso sistema vascular, o intrincado sistema que distribui sangue por todo o nosso corpo. E, quando os elementos estão atuando sobre o nosso sistema vascular, ele se abre e se fecha, ele se expande e se contrai, e, ao fazer isso, ele fortalece o tônus muscular do sistema vascular. Mas vestir roupas, ficar vestido o tempo todo, é desestimulante. Esses pequenos músculos não trabalham. E você sabe quem paga caro por isso? O coração. Quando esses pequenos músculos vasculares não estão ajustados, não funcionam de forma otimizada, o coração é forçado a bombear com muito mais força para fazer o sangue fluir. Isso provoca um estresse negativo crônico em nosso coração. Esse é um dos principais motivos, junto com a alimentação inadequada e o sedentarismo, que provocam as doenças cardiovasculares, atualmente as maiores assassinas na nossa sociedade.

Como vamos lidar com essas assassinas? É muito simples. Uma ducha fria por dia mantém a sua saúde em dia. A medicina está cada vez mais voltada para soluções farmacêuticas e não para a cura, e poucos médicos recomendariam esse método, mas ele existe. É simples, funciona e não custa nada. Nosso sistema vascular precisa ser estimulado para atingir o tônus muscular desejado. Ele não precisa ser treinado, precisa apenas despertar. Depois que ele despertou e foi otimizado, digamos que, em dez dias, uma sequência mágica começa a acontecer dentro do nosso corpo.

Qualquer pessoa que já tenha entrado numa piscina sem um sistema de aquecimento ou que tenha passado pelo "Desafio do Balde de Gelo"* sabe que o impacto imediato da água fria em nosso corpo pode ser desconfortável, para não dizer doloroso. Portanto, é compreensível que algumas pessoas relutem em se submeter voluntariamente a esse desconforto. É desagradável. Mas, assim como o corpo se ajusta à temperatura da água da piscina, com a exposição repetida ele também se ajusta à água da ducha fria. Inicialmente, a água fria precipitará um choque térmico ou o reflexo de ofegar, que é uma reação completamente natural. Isso pode causar hiperventilação, mas essa resposta fisiológica involuntária diminui com o tempo, à medida que o corpo relaxa e começa a se ajustar ao seu novo ambiente. Quanto mais você toma banhos frios e se acostuma com esse choque inicial, mais começa a ansiar por essa sensação.

Eu comecei por intuição, quando tinha 17 anos, a me aventurar na água fria. Entendo agora que essa intuição surgiu do meu trauma de nascimento, mas essa é a minha história pessoal. Não importa como você vai chegar lá, contanto que pratique, e, se resolver seguir a minha sugestão, tanto melhor. Dediquei minha vida a isso porque descobri seus benefícios por experiência própria. Naquela época, eu tinha um pressentimento e não consegui encontrar uma explicação para isso nos livros. Nem poderia. Então me voltei

---

* Campanha solidária que mobilizou celebridades do mundo todo, inclusive do Brasil, a ajudar a arrecadar fundos para financiar a pesquisa e ajudar pacientes com Esclerose Lateral Amiotrófica. O desafio consiste em tomar um banho de água gelada, publicar a cena nas redes sociais e desafiar os amigos. Quem for desafiado tem 24 horas para fazer o mesmo. Se não fizer, deve fazer uma doação. A ideia, claro, é que faça ambos: aceite o desafio, para divulgar a causa, e faça a doação. (N. da T.)

para a natureza e encontrei respostas que não estavam nos livros. E, como a natureza pertence a todos nós, sinto-me compelido a compartilhar o que aprendi. Não é algo que pertença a mim; pertence a todos nós. Eu apenas simplifiquei. Nossa sociedade será capaz de enfrentar as doenças cardiovasculares, se conseguirmos aprender, coletivamente, como alcançar a aptidão vascular.

Quando você toma um banho frio, todos aqueles pequenos músculos do seu sistema vascular – milhões deles – são ativados e exercitados. Depois de dez dias tomando esses banhos, você notará a que a sua frequência cardíaca começa a diminuir significativamente, chegando a quinze até trinta batimentos por minuto e permanecendo assim durante as 24 horas do dia. Isso resulta em muito menos estresse. É importante entender que a sua frequência cardíaca aumenta sempre que seu corpo passa por estresse. Isso envia um sinal primitivo para o corpo ativar a adrenalina e o cortisol, que desencadeiam uma série de processos bioquímicos que exaurem seu eixo hipotálamo-hipófise-adrenal, sua energia, porque você está em más condições vasculares. Seu coração precisa bombear mais, trabalhar mais.

Ao mesmo tempo, enquanto sua energia se esgota, você ouve seu chefe mandando você fazer isso ou aquilo, seu parceiro fazendo suas exigências e seus filhos fazendo travessuras, o que só contribuir para aumentar seus níveis de estresse. Os congestionamentos e transportes coletivos lotados não ajudam em nada. Tudo se soma e o resultado é que seu coração tem que bombear mais sangue, sem ter uma válvula de escape, sem ter um descanso, porque seu sistema vascular está comprometido.

Ora, se você exercitar seu sistema vascular – o que eu chamo de *"fitness* vascular" –, pode neutralizar com eficácia esse estresse. Depois que tiver treinado a exposição ao frio, pode fazer *snowga**, yoga na neve. Você pode fazer exercícios ao ar livre no frio, com o peito nu, descalço e vestindo apenas *shorts*. Em quinze minutos, você não sentirá mais frio, o que é uma indicação de que seu sistema vascular se adaptou. Isso é inato. Sempre esteve ao nosso alcance, mas, ao buscar constantemente o conforto, nos tornamos estranhos para a nossa própria condição vascular otimizada e natural. Isso é lamentável, porque é o nosso sistema vascular que leva o sangue às células e com ele, todos os nutrientes, o oxigênio e as vitaminas que nosso corpo precisa para funcionar perfeitamente. E se o seu sistema vascular for exercitado e adaptado, sua frequência cardíaca, por sua vez, diminuirá. Esse é o antídoto para o estresse, e tudo começa com as duchas frias.

Os banhos frios são a porta de entrada para o fluxo, a energia e a paz. Eu não estou exagerando. É o ponto de entrada para você descobrir o poder da mente sobre o corpo. Se você insistir apenas dez dias em tomar banho frio após o banho quente, o que significa que você terminará o seu banho normal, quente, com mais ou menos um minuto a mais de água fria, então será capaz de controlar seu sistema vascular, mandando que ele se feche quando você passar para o banho frio. É incrível o que seu corpo pode fazer quando se submete à sua vontade, e tudo o que você precisa são dez dias de banhos frios para recuperar seu tônus vascular ideal e conseguir esse controle. À medida que seu sistema vascular desperta e seus

---

* Algo como "nevyoga", termo inventado pelo autor a partir das palavras "neve" e "yoga". (N. da T.)

54

músculos começam a se tonificar, ele estabelece uma conexão com seu cérebro, com a sua vontade consciente.

> **PROTOCOLO MWH:**
> **EXPOSIÇÃO AO FRIO PARA INICIANTES**
>
> Entrar na água gelada pode ser um verdadeiro choque, então é melhor você aprender a preparar seu corpo antes de experimentar essa sensação. Mas como você faz isso? Nós usamos roupas o tempo todo, o que desestimula nosso corpo, deixando nosso sistema vascular em péssimas condições. Então, o que podemos fazer para reduzir o impacto do choque e, em vez disso, permitir que a água gelada otimize nosso sistema cardiovascular? A maioria de nós toma banho todos os dias e a maioria deles é quente ou morno, porque não gostamos de banho frio. Mas, se terminar o seu banho quente ou morno com uma ducha fria de apenas trinta segundos – apenas trinta segundos –, você vai começar a ver resultados. Qualquer pessoa é capaz de suportar trinta segundos de água fria, especialmente depois de passar vários minutos sob a água morna ou quente, acumulando calor. A água morna abre suas veias, facilitando o fluxo sanguíneo. Portanto, embora a água fria possa causar algum desconforto no início, trinta segundos não é uma grande dificuldade.
>
> O que acontece dentro do seu corpo quando você muda a temperatura da água, de quente para fria, é que todos os pequenos músculos do sistema vascular começam a despertar. Eles se fecham e se abrem, se fecham e se abrem, e esse processo repetitivo aumenta o tônus do músculo vascular que, com a exposição repetida, se desenvolve até chegar à condição ideal. Comece devagar no início, com apenas quinze segundos no final do banho, todos os dias. Em uma semana, você se sentirá capaz de prolongar a exposição à água fria para trinta segundos ou mais. Isso ocorre porque o tônus dos músculos do seu sistema vascular vai estar melhor, mais desenvolvido. A temperatura central do seu corpo continua ideal. E o resultado é que você passa a ter um fluxo sanguíneo melhor durante todo o dia, o que lhe dá muito mais energia. Quando consegue tomar uma ducha fria por mais de trinta segundos, você começa a desenvolver a capacidade de resistir conscientemente ao choque térmico provocado pela água fria. Você suprime a reação de arrepio, de ofegar..

Está despertando para o poder fisiológico e a atividade neural do seu próprio corpo. É surpreendente.

1ª SEMANA Trinta segundos de água fria no final de um banho quente.
2ª SEMANA Um minuto de água fria no final de um banho quente.
3ª SEMANA Um minuto e meio de água fria no final de um banho quente.
4ª SEMANA Dois minutos de água fria no final de um banho quente.

Faça isso aos poucos e vá aumentando, pelo menos cinco dias por semana. Siga as suas sensações. Não force nada. Também é bom começar com quinze segundos e aumentar lentamente, como fazemos em nosso Desafio da Ducha Fria de 20 Dias.

Alguns benefícios da exposição ao frio começam a 15° C, por isso a água da torneira, em geral, é fria o suficiente para já fazer alguma diferença. À medida que o tônus muscular vascular se desenvolve, ele vai absorvendo cada vez mais o choque térmico, até que ele praticamente deixe de ser um choque. Seu sistema vascular se contrai sob demanda, para proteger suas partes vitais. E o que você verá é que sua frequência cardíaca diminui durante o dia, reduzindo seu nível de estresse. Você se sente mais energizado. O fluxo sanguíneo melhorado oferece mais nutrição para as suas células. Você descobre que não fica mais doente, porque o seu corpo não é mais vulnerável. Em vez disso, você se sente forte.

Ao final da quarta semana, seu tônus vascular estará otimizado a ponto de a mente influenciar a matéria. Você abre o registro da água fria e percebe que seu corpo não reage mais ao choque. Esse é apenas o começo do poder da mente se abrindo para você. Se você for capaz de comandar o sistema vascular, que ocupa o seu corpo todo, também vai ser capaz de ir a qualquer parte quando quiser e controlá-la conscientemente. Você é quem manda. E tudo começa com trinta segundos de água fria.

Quando os seres humanos pré-históricos se aventuravam para fora de suas cavernas e se embrenhavam na selva, eles tinham que ser fortes. Precisavam que o seu sistema vascular se fechasse para preservar a temperatura central do corpo, o que era necessário não apenas para que se movimentassem, mas para que sobrevivessem. Caso contrário, eles estariam correndo o risco de hipotermia e morte. Portanto, quando saía para caçar, o homem pré-histórico sabia que seu corpo reagiria de acordo com o necessário. E automaticamente. Quando o sistema vascular se fechasse, as extremidades e o resto do seu corpo seriam capazes de enfrentar as intempéries, sem colocar em risco a temperatura corporal central, que permaneceria a mesma, protegendo a função dos órgãos vitais: o fígado, o coração, os pulmões e o cérebro. O resto do corpo pode fica bem frio, mas, se o tônus vascular não for o correto, o corpo não responde. Por isso, quando enfrentamos o frio, nosso sistema vascular não se fecha muito bem e ficamos doentes.

E essa é a questão. Pais preocupados sempre imploram para que os filhos se agasalhem com casacos pesados, gorros e cachecóis, para que não passem frio. Mas a verdade é que um sistema vascular mais fraco é o que torna nossos filhos vulneráveis e suscetíveis a doenças. Se tomarmos banhos frios, porém, poderemos recuperar a condição otimizada do nosso tônus vascular e, por sua vez, ficar mais fortes. Seremos capazes de agir naturalmente tanto no calor quanto no frio e resistir a todas as intempéries da natureza, sem afetar significativamente a temperatura central do nosso corpo. E é incrível constatar quanto benefícios para a saúde isso traz. Isso não só beneficia o nosso sistema vascular, que é o sistema responsável por transportar todas as vitaminas, do oxigênio e dos nutrientes de que nossas células precisam, como também poupa as células do estresse biológico. Com isso, vem a paz. Uma paz profunda.

Quando nossos músculos vasculares adquirem o tônus adequado, nosso fluxo sanguíneo – nossa força vital – é capaz de comunicar muito ao nosso cérebro sobre paz e sobre vida, porque sem sangue não somos nada. E tudo isso conseguimos por meio do frio. Ao exercitar e tonificar esses músculos, podemos ir para o frio com a atitude apropriada. Podemos ver o frio não como um poder adversário, maligno ou negativo, mas sim como um espelho que revela se nosso corpo está respondendo da maneira certa, de acordo com a nossa natureza, ou não. Perdemos essa habilidade, mas tudo o que precisamos para recuperá-la é tomar um banho frio todos os dias.

O resultado do seu investimento, o sacrifício do seu conforto enquanto está no chuveiro, é extraordinário. Sim, você vai ter muito mais energia. Sim, sua frequência cardíaca vai diminuir. Sim, vai levar todo oxigênio e todas as substâncias químicas necessárias para as suas células. Eu sei que eu já disse tudo isso antes, mas considere esse o seu mantra! Depois de 43 anos de treinamento, eu ainda procuro lembrar a mim mesmo como isso é bom, como funciona bem. Você também vai ter uma vida melhor, porque, com essa energia, vem a eletricidade, e todo o seu corpo vai sentir isso. É incrível! Você vai aprender como comandar o seu corpo e se conectar com ele com muito mais eficácia, porque a química certa é a condutora da nossa mente, da neurologia do nosso cérebro. O frio é impiedoso, mas justo. Ele vai lhe mostrar o caminho.

Depois de dez dias de banho frio, você vai ficar viciado, porque é muito bom depois... E você terá essa sensação de controle assim que abrir o registro da água fria. As partes mais profundas da sua fisiologia de repente se abrem, algo que elas são obrigadas a fazer, porque a água está realmente fria e tem um impacto poderoso sobre o seu corpo. Mas depois essas partes mais profundas da sua fisiologia começam a funcionar e ficam em paz. O frio só nos mostra se o nosso poder interior está ou não ativo e sob nosso controle, pois somos capazes de exercê-lo conscientemente. Aos poucos, começamos a sentir cada vez mais o frio e ele se torna nosso professor. O frio é um fator de estresse, por isso, se você for capaz de enfrentar o frio e controlar a reação do seu corpo a ele, será capaz de controlar o estresse. O estresse ocorre de muitas maneiras, mas, no final, você o sente num nível biológico, celular. Você pode aprender a controlá-lo entrando gradualmente no frio e acompanhando suas sensações. Em dez dias, você verá que é perfeitamente capaz de controlar o estresse do frio. Você tem que tomar banho de qualquer maneira, não tem? Então, é muito simples. Termine o banho com uma ducha de água fria. Um minuto ou dois, no máximo. E depois, se desejar, após os primeiros dez dias – quando seu corpo já tiver se recondicionado –, você poderá aumentar a exposição.

O controle que você vai obter, porém, não se limitará à reação do seu corpo ao frio. Ele abrange qualquer tipo de estresse, esteja ele relacionado a calor, emoções, trabalho, frustração com o trânsito, relacionamentos ou seja lá o que for. Como o frio é impiedoso, mas justo, podemos aprender com ele. E o que isso nos mostra é que temos uma capacidade inata para lidar com o estresse. Perdemos essa capacidade, é verdade, mas podemos recuperá-la em dez dias. Dez dias! Esse poder está batendo na sua porta; cabe a você atendê-la ou não. O que você quer? Quer aprender a lidar com o estresse ou quer continuar sofrendo? Esse método é muito simples e acessível, e comprovado pela ciência. Muitos milhares de pessoas já se beneficiaram dele. Qualquer um pode praticá-lo e ele não tem dogmas, só requer aceitação. É pura liberdade.

Depois de tomar um banho frio, você não só vai se sentir energizado, como também mais descansado. Porque o cérebro e o coração estão neurologicamente conectados e a diminuição da frequência cardíaca afeta o humor, diminuindo a ansiedade. Em paz e descansada, sua cabeça começa a "esfriar" e o sangue flui lentamente para seus recônditos mais profundos. E, se esse sangue chegar ao sistema límbico, você pode atingir um nível de meditação profundo, que apenas praticantes do *mindfulness* com anos de experiência conseguem atingir. Sei, por experiência própria, que uma ducha fria de um minuto todos os dias pode elevá-lo ao mesmo patamar.

Você vai ver o poder da mente sendo ativado e aprender como controlar o fluxo sanguíneo, de modo que ele chegue às partes mais profundas do cérebro. Essas partes do cérebro do homem moderno recebem menos fluxo sanguíneo do que recebiam as dos nossos ancestrais pré-históricos e, embora essas partes mais profundas ainda existam, elas não se desenvolveram. Não podemos senti-las e elas não afetam nossa consciência. Temos que nos sentar e meditar por horas a fio para fazer sangue fluir para esses reinos mais profundos da mente. Ou podemos tomar um banho frio.

Um banho frio por dia, basta isso. Esse é seu passaporte para uma vida saudável.

Em fevereiro de 2018, participei de um estudo muito interessante realizado pela Escola de Medicina da Universidade Estadual de Wayne, em Detroit, Michigan (Estados Unidos).[4] Os neurocientistas Otto Muzik e Vaibhav Diwadkar escanearam o cérebro de 74 sujeitos, enquanto os expunham à água gelada ao longo de três dias. Cada um dos indivíduos usava um colete de perfusão de água, que bombeava água fria continuamente. A ideia era monitorar a atividade cerebral e medir as diferenças na temperatura da pele de cada sujeito, a cada exposição. Não surpreendentemente, com exceção de mim, a temperatura da pele dos outros 73 sujeitos diminuía toda vez que a água fria era bombeada. Lógico, não? Mas só é lógico se aceitarmos, se acreditarmos que nosso potencial é limitado. Esse é o paradigma. Eu chamo isso de "a desconexão", porque não conhecemos o poder da nossa mente.

O MÉTODO WIM HOF PARA AQUECER O CORPO

Você é uma daquelas pessoas que sente frio o tempo todo? Você gostaria de ser capaz de aquecer seu corpo, mesmo sem ter acesso a uma fonte externa de calor? Nesse caso, você pode fazer o exercício a seguir para ativar os músculos intercostais e a gordura marrom (ou tecido adiposo marrom), ou seja, a gordura que consome energia para produzir calor e manter o corpo aquecido. Os músculos intercostais consistem em vários grupos de músculos localizados entre as costelas e que ajudam a mover a parede torácica durante a respiração. A ativação desses músculos também gera calor.

Siga as instruções a seguir:

1 Sente-se.

2 Inspire lenta e profundamente por cinco ou seis vezes, deixando a respiração fluir naturalmente a cada vez.

3 Inspire até encher os pulmões.

> **4** Relaxe ao expirar.
>
> **5** Inspire novamente até encher os pulmões.
>
> **6** Prenda a respiração por não mais do que cinco segundos.
>
> **7** Contraia os músculos da parte superior das costas e o peito, enquanto prende a respiração, sem tensionar a cabeça. Mantenha as mandíbulas relaxadas.
>
> **8** Solte o ar e relaxe.
>
> Com esse exercício, você sentirá o calor fluindo do pescoço para todo o seu corpo. Uma pessoa é diferente da outra, mas, com a prática, você vai começar a sentir o calor vindo de dentro do seu corpo. Foi isso que eu fiz para manter a temperatura central do meu corpo durante os experimentos da Universidade Estadual de Wayne – mas, por favor, não tente replicar aqueles experimentos em casa!

Ao empregar uma técnica de respiração profunda, que efetivamente ativava meus músculos intercostais (aqueles localizados entre as costelas), eu consegui gerar calor suficiente, no primeiro dia, para manter a temperatura central do meu corpo. Examinaremos a respiração intencional no próximo capítulo. Mas, quando foi minha vez de vestir o colete, no terceiro dia, fui instruído a participar passivamente. Sem contrações musculares ou respiração profunda, embora eu tivesse feito meus exercícios respiratórios em casa, pela manhã, como faço todos os dias. Mas essas coisas podem atrapalhar o exame e exigir que todo o experimento seja refeito. Tudo o que eu podia usar naquela situação era minha mente. E como não fiz nada com a minha mente, a temperatura da minha pele caiu como a de todo mundo. Eu não sabia muito bem o que fazer. Sempre tinha simplesmente seguido a minha intuição e meus instintos e aprendido, em meio à natureza, o que fazer. Mas, na natureza, você não pensa muito sobre o que está fazendo, apenas faz. É instintivo. Por isso, naquela manhã, eu estava sentado no meu quarto de hotel, olhando a vista de Detroit pela janela, e pensando, "Como demonstro isso? Como faço para demonstrar uma diferença completa entre eu e aquelas outras 73 pessoas?". Nenhuma delas era capaz de influenciar, com o poder da mente, a temperatura da pele durante a exposição à água fria, demonstrando total controle das funções autônomas.

Então eu me perguntei: "O que você fez no monte Everest? O que você fez nas águas geladas, além do Círculo Polar Ártico? O que você sempre faz no frio? Você confiou em si mesmo. Acreditou no seu coração, acreditou que era capaz de fazer isso e, com esse estado de espírito, enfrentou esses desafios com confiança e sucesso. Por que não seria capaz de fazer isso hoje?". Eu vi que tudo é um estado de espírito e que a confiança é uma forma de crença. É como uma aposta que você faz em si mesmo. Você diz ao seu corpo o que fazer e seu corpo ecoa de volta e diz, "sim". Mente e corpo estão em sincronia. Depois de todos esses anos, isso foi uma epifania.

Pela manhã, fiz meus exercícios respiratórios. Mais tarde, quando coloquei o colete, a temperatura da minha pele não caiu com a exposição à agua gelada. Foi como se eu fosse imune a ela. Eu tinha aumentado a temperatura da minha pele em 1 grau, programando a minha mente para isso. Não me mexi, nem respirei fundo, nem contraí os músculos. Não fiz nada, exceto focar a mente e me entregar. É algo que, com prática e comprometimento, qualquer um pode fazer. Apenas sente-se sozinho, exclua o mundo e suas preocupações da cabeça e visualize uma imagem clara do objetivo que você pretende realizar. Deixe que quaisquer imagens e pensamentos passem livremente e depois se afastem, enquanto você mergulha dentro de você. Trata-se de uma sintonização sem palavras, mas com sentimentos. É um momento forte de reconhecimento, pois a verdadeira confiança não é um pensamento, mas um sentimento profundo. O método baseia-se no princípio de que o poder da mente atua em conexão com o corpo, para impactar a capacidade humana de uma forma profunda. É importante entender que a programação é, por si só, algo que cada um de nós já faz diariamente, embora de maneira inconsciente. Percebemos o poder dessas suposições quando entramos no gelo. Isso ajuda a treinar o músculo da crença, crença naquilo de que somos capazes, que nos permite ter confiança no nosso coração.

No momento em que o experimento foi concluído, não me importei tanto em saber o resultado. Mas, quando os cientistas analisaram os dados, ficaram surpresos. Eles nunca tinham visto nada parecido. Consegui aumentar a temperatura da minha pele em 1 grau e a mantive assim enquanto era exposto aos ciclos repetidos de água fria e quente. Minha temperatura não mudou. Esse é o poder da mente quando ele é ativado pelo frio e pela respiração.

Com a depressão a ponto de tomar proporções epidêmicas no mundo todo, são necessárias novas soluções não farmacêuticas. Os exames de imagem do cérebro, realizados no estudo da Universidade Estadual de Wayne, demonstraram que fui capaz de ativar partes do meu cérebro supostamente inacessíveis aos seres humanos. Isso oferece uma nova perspectiva sobre como podemos lidar com a psicose, o medo, a ansiedade, a depressão ou o transtorno bipolar, sem precisar recorrer a medicamentos.

Na natureza, são devorados não apenas os fisicamente fracos, mas também os mentalmente vulneráveis. Agora vivemos nesta sociedade moderna em que temos todo o conforto do mundo, mas perdemos nossa capacidade de regular nosso humor, nossas emoções. Na edição de fevereiro de 2018 da *NeuroImage*, os cientistas Muzik e Diwadkar escreveram: "Encontramos evidências convincentes dos componentes-chave dos processos autônomos do cérebro relacionados à regulagem do humor".[5] Em linguagem clara, eles estão se referindo à emoção. Agora encontramos o caminho para acessar essa área e aprender a regular nosso humor, a regular nosso estado emocional, independentemente do nome que você quer dar a isso. A verdade é que já nascemos com a capacidade de lidar com as emoções num nível consciente. Nós somos livres.

É importante reconhecer a importância dessa descoberta. Trata-se de uma reminiscência da fábula sobre os sábios que se reúnem e perguntam, "O que fazemos com a alma, visto que as pessoas fizeram uma balbúrdia com relação a esse assunto?". "Coloque-a na mais alta das montanhas!", diz um homem. Mas as pessoas sobem as montanhas como formigas, encontram a alma e fazem dela um troféu. Então os sábios decretam: "Coloque-a no fundo do mar!". Mas as pessoas constroem embarcações submarinas e mergulham. Encontram a alma e a trazem à superfície, para colocá-la num museu. Então, os sábios dizem: "Coloquem-na para lá do planeta mais distante!". Mas as pessoas constroem naves espaciais, aventuram-se e a encontram. Elas a trazem de volta e travam uma guerra para tomar posse dela. Os sábios ficam confusos, porque nenhum deles sabe onde colocar a alma. E então alguém se levanta e diz: "Já sei! Coloquem-na dentro das pessoas, pois elas nunca olham ali". É exatamente onde ela está. A alma reside dentro de nós. Está dentro do nosso alcance se soubermos onde procurá-la. E agora encontramos um atalho para as partes mais profundas do cérebro, que é a sede da mente, a alma. Isso é incrível, faz você se *sentir* incrível porque somos seres surpreendentes, mas temos que viver fazendo jus a isso. Precisamos usar esse poder para o bem.

Erradicar doenças cardiovasculares e afetar positivamente os cuidados com a saúde mental são, inegavelmente, benefícios da técnica que podem servir ao bem maior. O método é acessível, eficaz e totalmente gratuito. Nós identificamos os componentes-chave dos processos autônomos do cérebro – aqueles que não dependem da nossa vontade – e aprendemos a acessá-los. Esses processos, na verdade, podem ser controlados pela nossa vontade; portanto, nossa perspectiva sobre a capacidade humana de ter controle sobre a regulagem do humor, a depressão, o trauma e o medo devem mudar de acordo com essa descoberta. A natureza nos deu essa capacidade. Nos tornamos distantes e alienados da natureza, por isso perdemos essa capacidade inata de controlar o nosso próprio cérebro. Os seres humanos não evoluíram ao longo de milhões de anos para acabar com um amontoado de carne dentro do crânio que podemos controlar apenas em parte. Isso não faz sentido. Podemos controlar muito mais do que isso. E muito desse controle tem a ver com a emoção, o sentimento, o propósito da vida. Tudo começa com a respiração e o controle da força vital por meio da respiração. Sem a respiração, não somos nada, mas, controlando-a, somos capazes de acessar a neurologia da nossa consciência, a nossa percepção. E dez dias de banho frio nos permitem regular novamente o fluxo sanguíneo nas partes mais profundas do nosso cérebro e desbloquear seu verdadeiro potencial. Nosso cérebro se torna uno com a força vital, com o fluxo sanguíneo e com a respiração, e muda a nossa bioquímica. De repente, nos tornamos capazes de mergulhar nas partes mais profundas de nós mesmos de acordo com a nossa vontade, porque está tudo conectado. A vontade é um músculo neurológico, mas, se a bioquímica não estiver correta, ela não consegue fazer muita coisa.

É como não conseguir correr muito porque seus músculos estão doloridos. Não há nada de errado com você e seu tônus muscular está ok. Você só não consegue correr muito porque está dolorido e, portanto, sua bioquímica está "errada". O sangue flui na mesma direção que a nossa mente. Em nossa sociedade de hoje, vivemos numa narrativa restrita e nela somos condicionados. Nosso cérebro repete os mesmos padrões de pensamento incessantemente, o que causa estresse e priva o resto do cérebro do fluxo adequado de sangue. Em resultado, nosso cérebro não pode funcionar da maneira ideal. Nossa vontade, que é expressa através de neurotransmissores, é incapaz de participar de uma bioquímica subótima, num ambiente biológico ou químico comprometido.

É a mente atuando sobre a matéria. O que supostamente era abstrato ou estava além do nosso alcance, na verdade, é algo acessível. Mas você não precisa pensar sobre isso. Basta tomar os benditos banhos frios para recuperar a sua capacidade inata de controlar todo o seu sistema vascular. Minhas tomografias demonstraram que somos capazes de entrar nas partes mais profundas do cérebro. Podemos acessar e ativar nosso sistema límbico, que comanda a memória e as emoções. Também podemos acessar o tronco cerebral e, conectado a ele, a substância cinzenta periaquedutal, que supostamente é responsável pela transmissão de sinais de dor pelo cérebro.[6] Quando essa canalização neurológica é restabelecida, somos capazes de suportar a dor, por meio da liberação dos opioides naturais – os endocanabinoides – em nosso cérebro. Essas substâncias químicas naturais proporcionam uma sensação de euforia no corpo, até mesmo sob estresse, que é exatamente como me senti na Universidade Estadual de Wayne. Eu não senti frio nenhum. Não senti estresse. Em vez disso, me senti quente. Eu me senti ótimo.

O estudo da Universidade Estadual de Wayne é o primeiro passo para validar esse método como um remédio natural para pessoas com problemas de saúde. É como um pescador que volta ao local onde deixou suas redes, recolhe-as e as encontra cheias de peixes. Meu coração está vibrante. E o melhor de tudo é que é só o começo. Perdi minha primeira esposa quando ela se suicidou em 1995. Tínhamos quatro filhos juntos e ela saltou do oitavo andar de um prédio. Eu me senti impotente. Ela já estava sofrendo havia algum tempo e nem todas as injeções, comprimidos ou terapeutas do mundo puderam ajudá-la. Eles só pioraram as coisas. Ela saltou depois de dar um beijo de despedida nos nossos filhos, e a impressão emocional que isso me deixou se traduz no impulso profundo que tive, e ainda tenho, de desenvolver métodos para, em primeiro lugar, sobreviver no mundo com quatro filhos e, depois, com o tempo, me curar. É como uma cicatriz que desaparece um pouco, mas nunca completamente. Impulsionado pela perda emocional, pelo coração partido e pelo fato de ter quatro filhos e nenhum dinheiro, eu fiquei altamente motivado a fazer uma mudança, oferecer uma solução alternativa para aqueles que sofrem de distúrbios psiquiátricos. Agora, um quarto de século depois, estamos obtendo algumas respostas.

É divertido entrar na água gelada com os amigos!

Eu encontrei essas respostas na natureza. Esse é um poder inato que todos nós temos. Foi condicionado por algo fora de nós e reforçado por um sistema educacional que não é focado na felicidade, na força, na saúde ou num controle mais profundo de nós mesmos. Você sabe de que uma pessoa feliz precisa? De nada. Porque ela está feliz. Isso é o que quero dar aos meus filhos, para as pessoas com as quais convivo, para todos os seres vivos ao meu redor. Eu quero ser feliz e quero o mesmo para você. Estamos todos conectados por natureza. As árvores exalam oxigênio e nós exalamos CO_2. Nós nutrimos uns aos outros. Somos todos um. Como já afirmei, o frio é impiedoso, mas absolutamente justo. Ele vai além da mente, do condicionamento, de toda tendência a ficar na zona de conforto, das nossas fraquezas, e nos torna fortes. Depois de milhões de anos de desenvolvimento evolutivo, ele nos leve de volta à nossa condição ideal. Vestimos roupas, vivemos em ambientes climatizados e levamos uma vida sedentária, mas, por dentro, biologicamente, ainda somos como qualquer outro mamífero. É muito simples e agora, por meio da ciência – com dados –, provamos que temos a capacidade inata de controlar nossa mente. As aplicações são ilimitadas – inflamação, dor crônica –, está tudo ao nosso alcance. Podemos combater problemas cardiovasculares e a depressão. Não é fantástico? E é muito mais simples do que pensávamos. Tudo o que precisamos é começar a recuperar nossa capacidade inata, nosso poder interior, nossa capacidade de sobrepor a mente à matéria e ter força, felicidade e saúde sustentável é tomar banhos frios. Apenas um ou dois minutos por dia. Está tudo aí, ao seu alcance, e já foi comprovado pela ciência que funciona. Esse poder só precisa ser despertado. Uma ducha fria por dia mantém sua saúde em dia.

EXPERIMENTO Nº 1 DO MÉTODO WIM HOF

BANHO DE ÁGUA GELADA PARA TER MÃOS E PÉS MAIS QUENTES

Você é alguém que vive com as mãos ou os pés frios? Em caso afirmativo, experimente fazer este exercício.

ETAPA 1 Encha um balde com um terço de gelo e dois terços de água.

ETAPA 2 Redirecione seu foco mental para as mãos (ou pés).

ETAPA 3 Coloque as mãos ou os pés no balde de gelo.

ETAPA 4 Mantenha as mãos ou os pés no balde por dois minutos. À certa altura, você deve começar a sentir calor em vez de frio nas mãos ou nos pés.

ETAPA 5 Tire as mãos ou os pés do balde de gelo, mas continue concentrado neles.

ETAPA 6 Agite-os várias vezes para estimular o fluxo sanguíneo em suas extremidades recém-despertas.

No início, seus vasos sanguíneos se contraem no balde de gelo. Esse é um mecanismo natural de proteção. Mas, depois, eles se abrem, quando seu sangue atinge a temperatura de 10 graus, permitindo que o sangue quente flua para eles. Você está reiniciando a fisiologia em suas extremidades. Pessoas que costumam reclamar de mãos ou pés frios sofrem de pouca vasoconstrição e dilatação. Os músculos ao redor das veias das mãos e dos pés não funcionam bem e precisam ser retreinadas. Este exercício com o balde de gelo ajuda. Se você normalmente tem mãos ou pés frios, procure fazer este exercício diariamente. A adaptação ocorre muito rapidamente. Depois de alguns dias de exercício, você descobrirá que suas extremidades não ficam mais tão frias.

CAPÍTULO 4
Respirem, Caramba!

Da primeira vez em que os médicos monitoraram um grupo de pessoas que treinou o método sob a minha orientação, eles ficaram observando enquanto elas passavam vários minutos retendo o ar, com os pulmões vazios. Os monitores mostravam seus níveis de oxigênio no sangue caindo drasticamente, com saturação em torno de 50 por cento, que é normalmente quando as pessoas morrem. Mas esse grupo estava bem. Sabe por quê? A bioquímica dessas pessoas tinha mudado. E com o aumento na alcalinidade, o eixo hipotálamo-hipófise-adrenal do cérebro foi ativado. Essa ativação reinicia o corpo, levando-o a ir além do condicionamento, além da zona de conforto, e permite que a pessoa resista e supere o estresse.

Doença de Crohn, câncer, depressão, artrite, asma e transtorno bipolar são todos causados pela desregulagem dos sistemas imunológico, endócrino e hormonal, devido à inflamação descontrolada.[1] Agora, empregando essas técnicas simples de respiração, somos capazes de suprimir os marcadores inflamatórios no sangue. Eu desafio qualquer médico que esteja cético, que não acredite que isso seja real, a tentar por si próprio. Nós temos fortes evidências, além de artigos nas melhores revistas científicas do mundo, atestando a veracidade do que estamos afirmando. Como você verá nos próximos capítulos, nós mudamos a literatura médica.

Somos capazes de acessar o sistema nervoso autônomo e suprimir a inflamação. Podemos regular nosso humor, nossas emoções, a temperatura do nosso corpo e muito mais. Os exercícios respiratórios empregados no método ajudam a eliminar os resíduos bioquímicos (os indesejados subprodutos de uma reação química) do sistema linfático, o mais profundo de todos os sistemas corporais. Todo estresse gerado na nossa vida profissional e emocional produz resíduos bioquímicos que causam e aumentam a inflamação em nossas células. Estou convencido de que, mudando nossa bioquímica de ácida para alcalina e eliminando do nosso corpo os resíduos bioquímicos, podemos eliminar as causas primárias das doenças.

Embora possam ter um impacto profundo no nosso estado físico e emocional, os exercícios de respiração são, na verdade, muito simples. São apenas trinta ou quarenta respirações profundas, enquanto estamos deitados num sofá ou na cama, intercaladas com períodos de retenção. O local onde você pratica os exercícios respiratórios é importante. Sempre os faça num ambiente seguro, nunca num lugar em que corra o risco de desmaiar, como na água. Esses exercícios têm um efeito profundo sobre o corpo, especialmente quando estamos começando a treinar o método, por isso só devem ser praticados da maneira que vou explicar, ok?

Quando você respira fundo, seu diafragma se movimenta e massageia seus intestinos. Essa é a maneira natural, embora a maioria de nós respire apenas com o peito e nunca tenha seus intestinos massageados dessa maneira. Mas a barriga infla quando o diafragma se move – e os pulmões se expandem – e é por isso que a chamamos de "respiração abdominal". Só que não é a barriga, na verdade, mas os pulmões que se enchem de ar. A barriga infla porque precisa abrir espaço. Em seguida, as partes superiores dos pulmões são preenchidos.

O protocolo de respiração, que é composto de três a quatro rodadas, leva cerca de vinte minutos para ser concluído. A melhor hora para fazermos esses exercícios respiratórios é antes do café da manhã, porque, quando nosso estômago está cheio, todo o metabolismo e oxigênio são direcionados para o estômago. Isso é lógico, porque a digestão é uma função do sistema nervoso parassimpático e, com a respiração, estamos ativando nosso sistema nervoso simpático. A respiração "aciona" o corpo, deixando-o em estado de alerta, despertando o sistema nervoso e preparando o corpo para entrar em ação. Comer antes de fazer esses exercícios pode inibir essa reação fisiológica.

Como já mencionei, a técnica começa com trinta a quarenta respirações profundas. Se você é novato nessa técnica, eu o aconselho a respirar pelo nariz, pois isso lhe dará mais controle sobre seu corpo e sua mente. À medida que adquirir mais experiência, você poderá respirar pela boca ou pelo nariz, como quiser. Não pense muito sobre isso, basta respirar. Eu prefiro respirar pela boca, mas você deve fazer o que achar mais confortável. Basta encher a barriga e deixá-la se mover como uma onda. Uma onda surge na praia, na costa, e depois recua. Isso tem um ritmo e o mesmo acontece com a respiração. Inspire completamente e depois solte o ar. Aí vem a onda novamente. Acompanhe a respiração até encher os pulmões, depois deixe o ar sair. Encha-novamente e solte o ar. A mente segue a respiração, mas não tente contê-la na sua mente. Deixe a mente acompanhá-la. A respiração é maior e ela o leva para os recônditos mais profundos do seu ser. Por isso siga o fluxo, siga a onda que vem para a costa e depois deixe-a ir. A respiração é tão vasta quanto o oceano. Deixe o ar entrar totalmente e depois solte-o. Ela é o próprio mar. É de onde viemos, quem somos. É maior do que nós mesmos, porque é quem somos. Agora deixe a sua consciência seguir a respiração e solte-a. Respire fundo e solte; respire fundo e solte. Encontre seu ritmo e siga-o. Embora sejamos mais ou menos iguais, nossa fisiologia é um pouco diferente. Cada pessoa tem um ritmo ligeiramente diferente. Mas isso não importa. Apenas respire e siga o fluxo.

Faça isso trinta vezes ou até sentir tontura, uma sensação de formigamento nos braços e nas mãos, e uma frouxidão no corpo. Inspire essa sensação. Respire mais dez vezes, até chegar a quarenta respirações, inspirando profundamente – sinta a respiração expandindo sua barriga, tórax, cabeça – e depois solte o ar. Em seguida, inspire de novo e solte o ar. Quarenta vezes. Você pode contar nos dedos ou mentalmente. Mas precisa estar sentindo a tontura, o formigamento e a frouxidão que descrevi. Intensifique essas sensações respirando junto com elas. Não se preocupe, está tudo bem. Você está totalmente seguro. O dióxido de carbono está saindo do seu corpo e sendo substituído pelo oxigênio, deixando seu corpo mais alcalino no processo. Pode parecer um pouco estranho ou desorientador no início, mas é ótimo para a sua bioquímica. O efeito neurológico é como uma carga de tensão em todo o corpo. Portanto, apenas siga a respiração e você sentirá carregado de tensão.

Agora vamos respirar, levando a consciência para dentro, junto com o ar. Sim, a respiração é uma porta. Ela abre corredores que nos levam para dentro de nós mesmos. Começamos a fazer isso interrompendo a respiração, enquanto o corpo é alcalinizado. Depois de soltar o ar, na quadragésima respiração, pare depois de expirar. Prender a respiração a essa altura será bem mais fácil, porque a sua recém-descoberta alcalinidade diminui a necessidade de oxigênio. Você pode se surpreender ao ver o quanto é fácil prender a respiração e ficar sem ar nos pulmões durante trinta segundos, um minuto, até um minuto e meio a essa altura. Você é o alquimista agora. Você é quem está fazendo isso e está no controle.

O que acontece em seu corpo agora é uma cadeia de reações químicas. O cérebro requer oxigênio para funcionar, é claro, mas o gatilho da respiração é um estado ácido, que você eliminou ao alcalinizá-lo pela respiração. Nada de errado está acontecendo no seu corpo, mas seu cérebro reptiliano primitivo não sabe disso. Ele diz: "Não há oxigênio". E, embora não haja necessidade imediata de oxigênio quando seu corpo está nesse estado alcalinizado, o cérebro reage ativando o eixo hipotálamo-hipófise-adrenal e redefinindo o corpo para atingir um estado fisiológico em que temos um controle neurológico e uma conexão com tudo o que existe dentro de nós. É assim que o homem vivia em meio à natureza originalmente – alerta, totalmente presente e simplesmente existindo.

Exercício de respiração em grupo no WHM Center, em Stroe, na Holanda.

Quando você sentir uma necessidade real de respirar novamente, vá em frente. Respire fundo uma vez e então, quando seus pulmões estiverem cheios de ar, pare de respirar outra vez. Você agora está acessando conscientemente o sistema endócrino e acionando o sistema nervoso, liberando hormônios e desbloqueando energia. À medida que avança na técnica, você pode se deparar com luzes, visões. É você quem tem de saber até que ponto quer avançar com esses exercícios, porque a sensação pode ser bem intensa. Mas não prenda a respiração por tanto tempo a ponto de desmaiar. Apenas inspire, assim que achar que precisa. Lembre-se sempre de seguir a respiração, usá-la como um guia e não forçá-la. Soltar-se é a chave.

O que eu acredito que você estará fazendo é influenciar sua glândula pineal, a "epífise cerebral", conhecida na literatura antiga como o terceiro olho ou a sede da alma. O sangue fluirá para lá e a eletricidade também. E como a eletricidade do corpo ativa os hormônios da glândula pineal, imagens e experiências bloqueadas no fundo da sua mente subconsciente virão à tona, entrando na sua consciência. Como estamos presentes neste momento com o nosso ego, com a nossa consciência, de repente somos capazes de acessar visões e sentimentos que normalmente estão trancados dentro de nós, e isso é lindo. Quando fazemos esse exercício em grupo, esse efeito parece que se amplia. O simples ato de respirarmos juntos cria um vínculo. Ouvir as outras pessoas respirando nos abre para a vulnerabilidade simples da vida humana. À medida que acessam as emoções armazenadas no corpo, as pessoas começam a rir ou chorar, às vezes sem que essa emoção pareça ter qualquer conexão real com uma história em particular. A experiência pode ocasionar visões de luzes ou rostos, formas e imagens familiares, levando-os a emergir para o nível consciente. Sensações estranhas ou zumbidos nos ouvidos. Acredito que seja como um estado onírico, quando temos aquele tipo de sonho que geralmente só é possível no ciclo REM, em que a dimetiltriptamina (DMT), um poderoso composto psicoativo, é liberado naturalmente na corrente sanguínea. Trata-se de uma verdadeira "viagem psicodélica" natural, e é nesse momento que a ansiedade e a dor do trauma desaparecem da sua consciência, porque você se libertou dele manipulando conscientemente a bioquímica e a eletricidade do seu cérebro.

Essa é uma alquimia consciente. É assim que você conduz seu ego para a estado de ser destituído de ego, para o ouro da sua própria coroa, a energia exuberante em torno da sua cabeça, que permite que todo o seu ser transcenda e, num certo sentido, se torne sagrado. Isso pode parecer algo muito distante para você, mas é verdade. Somos alquimistas e fomos feitos para ter o comando da nossa alma, da nossa luz, do nosso espírito e da nossa vida. Essa é apenas uma das portas de entrada. Do seu jeito, do meu jeito, não importa como cheguemos lá, todos buscamos a mesma coisa, no final: o amor. Apenas respire e retenha a respiração da maneira que descrevi; o resto acontecerá naturalmente. Quando a respiração interfere na eletricidade do cérebro, ela afeta nossa atividade neurológica de uma forma profunda. Tudo o que seu cérebro necessita é de um pouco de nutrição bioquímica. Se fornecermos essa nutrição com a respiração e, em seguida, seguimos o fluxo natural do nosso desenvolvimento interior, descobrimos que ele nos conduz à liberdade.

Esse é apenas o começo da sua jornada para desbloquear o poder ilimitado da sua mente. Essa é apenas a primeira rodada. Com mais treinamento e prática, você acabará se tornando capaz de ficar em harmonia com a parte mais profunda do seu cérebro e colher benefícios duradouros para a sua saúde e a sua felicidade. Nosso cérebro pensante é apenas uma estação intermediária. A todo momento, ele está regulando nosso corpo com milhares de processos e sistemas dos quais nem temos consciência. Influenciar conscientemente a parte mais profunda do cérebro ou o fluxo sanguíneo é um tipo diferente de consciência. Você tem que treinar isso. Fique em silêncio e respire. É assim que você ganha profundidade. Essa é a promessa, e nosso desafio é viver de acordo com ela. Podemos viver numa conexão sensível com nossa alma vulnerável e nos tornarmos os seres iluminados e radiantes que estamos destinados a ser. Tudo começa com quarenta respirações.

Agora vamos fazer a sequência de respirações mais uma vez. Segunda rodada. Faça quarenta respirações, seguidas de uma pausa, depois da última expiração, e você notará que cada vez consegue ficar mais tempo sem respirar, porque seu corpo se tornou ainda mais alcalino. Esse aumento na alcalinidade também aumenta o tempo necessário para o seu corpo atingir um estado ácido novamente, que é o que desencadeia o desejo de respirar. Por isso, durante a segunda rodada, você notará que consegue ficar um pouco mais de tempo sem ar nos pulmões.

Quando sentir vontade de respirar novamente, respire fundo e segure o ar por dez a quinze segundos. Agora, você talvez comece a ver com mais nitidez o que está acontecendo dentro de você, e a sensação que vai sentir é de puro êxtase. Os hindus chamam esse sentimento de *satchitananda*, (sendo que *sat* significa "energia", ou "verdade", *chit* significa "inteligência" e *ananda* significa "bem-aventurança".[2] Essa é a trindade do nosso espírito, da expressão mais pura da nossa alma. Os Vedas foram escritos há milhares de anos, mas a verdade que ele transmite é atemporal. Você vivenciará *satchitananda* aqui, em sua segunda rodada de exercícios respiratórios, porque ela reflete o sangue, a eletricidade e a luz que passam por você.

Depois dessa prática de segurar o ar por quinze segundos, aproximadamente, depois de inspirar, é hora da terceira rodada. Não se preocupe muito em saber quanto tempo você consegue segurar a respiração. Se está enfrentando uma grande inflamação, pode precisar respirar antes. Desse modo, a respiração é como um espelho que mostra o estado em que você está. A experiência de cada pessoa com a respiração é um pouco diferente, mas as características universais são a seguintes: a cada rodada, você se sente mais forte, mais leve e mais em paz. Cada rodada envia mais sangue e eletricidade para o seu cérebro. Cada rodada volta a ativar o eixo hipotálamo-hipófise-adrenal. E, se você completar quatro rodadas, como eu recomendo, estará pronto para ter um ótimo dia, porque você vai ver luz. Mais do que isso, você terá se *tornado* luz, reequilibrando o sistema nervoso simpático e parassimpático. E mais do que isso: quatro rodadas vão garantir que seu sangue esteja no Ph ideal. Esses fatores trazem muitos benefícios, não apenas para a sua saúde física, mas também espiritualmente. Esse equilíbrio bioquímico e hormonal aumenta sua energia, melhora seu desempenho e reduz seus níveis de estresse. Tudo isso depois de apenas quatro ciclos de respiração.

> **PROTOCOLO MWH: EXERCÍCIO BÁSICO DE RESPIRAÇÃO**
>
> Antes de iniciar esta técnica de respiração, lembre-se de que precisa estar atento. Ouça seu corpo e compreenda os sinais que ele e sua mente enviam enquanto você está fazendo os exercícios. Use esses sinais como um *feedback* pessoal, sobre o efeito dos exercícios em seu corpo e em sua mente, e ajuste-os conforme necessário para descobrir o que funciona melhor para você.[3]
>
> **ETAPA 1** Num ambiente seguro e tranquilo, deite-se ou sente-se numa postura de meditação ou acomode-se na posição que achar mais confortável. Certifique-se de que possa expandir livremente os pulmões, sem sentir nenhum tipo de constrição.
>
> **ETAPA 2** Feche os olhos e procure limpar a mente. Fique consciente da sua respiração e tente se conectar totalmente com ela. Respire fundo de trinta a quarenta vezes, pelo nariz ou pela boca. Infle primeiro a barriga, depois o peito e, em seguida, imagine o ar subindo, até chegar à sua cabeça. Não force a expiração. Apenas relaxe e deixe o ar sair naturalmente. Encha os pulmões e solte.

ETAPA 3 No final da última respiração, inspire mais uma vez até sentir os pulmões cheios de ar, mas sem forçar nada. Depois relaxe, para deixar o ar sair. Quando estiver com os pulmões vazios, prenda a respiração até sentir vontade de respirar novamente. Essa é a chamada "fase de retenção".

ETAPA 4 Quando sentir vontade de respirar, inspire profundamente e segure o ar por dez a quinze segundos. Essa é a chamada "respiração de recuperação".

ETAPA 5 Solte o ar e comece uma nova rodada. Inspire fundo até encher os pulmões e solte o ar naturalmente. Repita o ciclo completo de três a quatro vezes.

Depois de concluir esse exercício de respiração, reserve um tempo para usufruir da sensação. Com a prática, esse protocolo passa a ficar cada vez mais parecido com uma meditação. Depois de adquirir um pouco de experiência com o exercício básico de respiração, experimente esta técnica adicional: Na segunda rodada, etapa 4, tente "espremer" o ar para que ele suba até a cabeça, quando fizer a respiração de recuperação. Você faz isso contraindo o assoalho pélvico e direcionando essa sensação de tensão para o centro do seu corpo, depois para a cabeça, enquanto mantém o resto do corpo relaxado. Você deverá sentir uma sensação de pressão na cabeça. Em seguida, relaxe todo o corpo, enquanto expira.

Mas isso não é tudo o que esse método de respiração pode fazer. Em janeiro de 2014, liderei um grupo de 26 pessoas, treinadas nesse método, até o monte Kilimanjaro, na Tanzânia, com o objetivo de atingirmos o cume em três dias. Nenhuma dessas pessoas era um alpinista experiente e algumas delas sofriam de doenças debilitantes, como esclerose múltipla, artrite reumatoide e câncer com metástase. Para evitar o mal da montanha (causado pelo efeito da altitude sobre seres humanos), que pode ser fatal em casos extremos, a maioria das pessoas que tenta escalar a montanha mais alta do continente africano faz isso gradualmente, ao longo de cinco dias ou mais, para que o corpo tenha tempo de se aclimatar ao aumento da altitude, na subida até o cume da montanha. Ela fica a mais de cinco mil metros acima do nível do mar (para evitar o mal da montanha, é recomendado que os escaladores não subam mais do que trezentos metros por dia). Mas, armados do meu método de respiração e de muita motivação, não muito mais do que isso, além de equipamentos para escalada em clima frio (embora tenhamos levado alguns conosco só por precaução), partimos, certos de que atingiríamos nosso objetivo. Todos os fisiologistas, médicos e especialistas alpinos que consultei disseram que o que eu estava tentando fazer era irresponsável. As pessoas ficariam doentes, eles disseram. Algumas poderiam até morrer. Mas fomos assim mesmo, praticando nossa técnica de respiração de alta altitude, e atingimos o cume em apenas 44 horas. Ou seja, 28 horas a menos do que nossa meta inicial de três dias! Desafiamos a sabedoria dos especialistas. E, quando descemos a montanha, os críticos ficaram em silêncio. Um ano depois, voltamos ao Kilimanjaro e atingimos o cume em apenas 36 horas. No ano seguinte, fizemos o mesmo em pouco mais de 28 horas. Inacreditável.

Numa carta ao editor da publicação *Wilderness and Environmental Medicine*, os doutores Hopman e Buijze, que supervisionaram a expedição de 2014, escreveram: "O grupo parece ter desbravado novos territórios no campo da medicina, utilizando um novo método para prevenir e, quando necessário, reverter os sintomas do mal da montanha [...]. Em comparação com estudos anteriores, este relatório pode sugerir que a aclimatação, bem como o alívio dos sintomas do mal da montanha, pode ser acelerada com segurança".[4]

EM CASO DE DORES DE CABEÇA CAUSADAS PELA ALTITUDE

As dores de cabeça são o primeiro sinal do mal da montanha e indicam que o cérebro está sendo privado de oxigênio. Este exercício abastece seu cérebro com oxigênio e traz alívio imediato.

1 Diminua o ritmo.

2 Encha os pulmões e relaxe, preparando-se para expirar dez vezes.

3 Fique parado ou sente-se. Verifique se está numa posição segura.

4 Encha os pulmões, prenda o ar por cinco segundos e tente "espremer" ou redirecionar o ar na direção da cabeça.

5 Solte o ar.

6 Repita essas etapas até sentir que a dor de cabeça passou.

EXERCÍCIO DE RESPIRAÇÃO ENQUANTO CAMINHA EM GRANDE ALTITUDE

1 Respire conscientemente, inspirando mais do que você acha que precisa.

2 Concentre-se em sua respiração. Sinta-a enquanto caminha.

3 Sincronize a respiração com o ritmo da caminhada, para que fiquem na mesma cadência. Encontre seu próprio ritmo sem forçá-la.

> **EXERCÍCIO DE RESPIRAÇÃO DE DESCANSO PARA SE AJUSTAR A UMA ALTITUDE ACIMA DE QUATRO MIL METROS**
>
> Este exercício pode ajudá-lo a prevenir os sintomas potencialmente perigosos do mal da montanha, causado pela diminuição do nível de oxigênio no cérebro ao escalar ou visitar locais a mais de 4 mil metros de altitude. Peço que não faça este exercício para prevenir os sintomas do mal da montanha, sem a devida supervisão ou sem ter experiência. A melhor maneira de aprender com segurança é participar de uma de nossas expedições. Consulte a seção "Leitura Adicional" para obter mais informações. Convém sempre usar um oxímetro para medir a saturação de oxigênio no sangue.
>
> **1** Acorde depois de quatro a quatro horas e meia depois de dormir.
>
> **2** Faça o exercício básico de respiração até que o oxímetro indique um mínimo de 95 a 100 por cento de saturação.
>
> **3** Pratique os exercícios respiratórios por pelo menos meia hora.
>
> **4** Volte a dormir.

Entre as suas muitas aplicações benéficas para a saúde, esse método de respiração é capaz de regular o que causa a doença, ou seja, a inflamação. O fisiologista alemão Otto H. Warburg foi premiado com o Prêmio Nobel de 1931 por descobrir que o baixo teor de oxigênio é uma característica das células cancerosas. Portanto, além de seus múltiplos benefícios, esse método de respiração também pode ajudá-lo a evitar doenças. Como discutiremos em capítulos posteriores, uma das causas da inflamação é o desequilíbrio bioquímico. Podemos sobreviver e viver mais ou menos normalmente por um tempo quando nossa bioquímica não está correta, mas os problemas de saúde acabarão se manifestando. Eles chegam na forma de doenças autoimunes, câncer, depressão. E chegam porque nossa natureza bioquímica está desequilibrada.

Temos que parar com essa mania de ficar na nossa zona de conforto e nos voltar, isto sim, para nossas necessidades mais íntimas. Como se faz isso? Respirando. Respirando do jeito certo, massageando o intestino, ficando alcalino. Esses exercícios de respiração são baseados, até certo ponto, em práticas antigas, mas foram atualizados para a vida moderna e as novas descobertas da neurologia. Embora, fisicamente, os seres humanos sejam mais ou menos iguais ao que eram na Idade Média, nosso cérebro processa muito mais estímulos do que naquela época. Para funcionar da maneira ideal, ele precisa de uma bioquímica diferente. Com esse método de respiração, podemos regular e manipular nossa bioquímica. Isso não é especulação, está provado. A ciência é clara. Ele funciona. As pessoas vêm até mim com perguntas como: "Devo respirar pelo nariz?" ou "O diafragma deve ficar assim ou assado?", e eu apenas digo: "Simplesmente, respirem, caramba! Não pensem, apenas respirem! Deixe o ar chegar ao fundo dos seus pulmões!". Porque tudo o que você tem que fazer para colher o benefício do método é praticá-lo. Você vai se sentir transformado em minutos, após algumas rodadas de respiração. Então saia da sua mente e entre na respiração, porque a respiração é a força vital. Não na sua mente, na respiração. Siga sua respiração e isso o levará a qualquer lugar do seu cérebro – portanto, da sua mente – que você queira ir.

EXPERIMENTO nº 2 DO MÉTODO WIM HOF

PROLONGUE SEU TEMPO DE RETENÇÃO

Você pode controlar sua bioquímica com sua respiração. Não acredita em mim?

Bem, tente isto:

ETAPA 1 Respire normalmente, depois expire todo ar dos pulmões, prenda a respiração e analise por quanto tempo você consegue segurá-la.

ETAPA 2 Faça a mesma coisa depois de respirar fundo trinta vezes, relaxando ao soltar o ar.

Fez uma grande diferença, hein? A razão pela qual você pode prender a respiração por muito mais tempo depois de fazer trinta respirações profundas é que a respiração profunda muda temporariamente a proporção entre dióxido de carbono e oxigênio em seu sangue. Como seu reflexo respiratório está relacionado à quantidade de dióxido de carbono no sangue e você acabou de expirar muito dióxido de carbono, você pode prender a respiração por mais tempo. O dióxido de carbono é um ácido e a respiração faz que o nível de pH aumente, levando seu corpo a um estado temporariamente alcalino.

Depois de vinte ou 25 minutos fazendo esses exercícios de respiração, você será capaz de experimentar o poder ilimitado gerado pelo ato de respirar para dentro da cabeça, e não só sentirá a intensidade dessa prática, como verá resultados reais e tangíveis.

Quando mudamos conscientemente nossa bioquímica por meio da respiração, tornamos nosso corpo mais feliz, mais forte e mais saudável. Que simples! Você vê como tudo é simples? Todos esses assuntos complicados que confundem nossa mente não fazem sentido. Tudo esse estresse apenas nos afasta da natureza, mas a respiração vai levá-lo de volta. Isso forjará aquela conexão mais profunda que perdemos. Não é isso que você quer para si mesmo, seus filhos e todos ao seu redor?

Muitas pessoas no mundo hoje são consumidas por desejos artificiais. Nós nos agarramos a insignificâncias imaginárias. Trabalhamos cada vez mais e nos estressamos para conseguir mais a cada dia, mas para quê? Para sermos advogados e empresários? Assim, podemos ganhar muito dinheiro para comprar uma casa grande ou um carro sofisticado, mas que não pode nos dar felicidade ou saúde? Eu vi muito dessa miséria, razão pela qual me retirei desse mundo há muito tempo. E fiz isso também porque comecei a pensar: *O que é a alma? Onde ela está?* Bem, eu a encontrei primeiro no frio e depois na respiração. Não há nada místico ou abstrato sobre isso. É físico. Sua respiração é sua força vital, que está bem aqui, agora mesmo. Não poderia ser mais simples. Apenas respire e recupere sua alma.

Desenvolvi esses exercícios depois de enfrentar o frio porque a primeira coisa que você faz quando se depara com o frio é ofegar. É como se você estivesse renascendo. A respiração é a força vital. Nesse caso, a respiração funciona como um catalisador. Você faz que o ar preencha os seus pulmões e, com esse ar entrando mais profundamente nos tecidos, a química do seu corpo começa a mudar. Ele é revigorado pelo oxigênio e pelos nutrientes de boa qualidade que entram com a respiração. As vitaminas de boa qualidade são absorvidas pelas suas células e isso lhe confere mais energia. É por isso que fazemos a respiração primeiro, antes de entrar no frio. A respiração gera calor por meio dos músculos intercostais e também aumenta a tolerância à dor. Você continua seguindo a respiração com sua atenção depois que entra na água, mantendo a conexão com o cérebro. Essa é a respiração consciente, que é diferente das três ou quatro rodadas com retenção, que fazemos quando estamos deitados ou sentados num lugar seguro. Mas é melhor você aprender a silenciar os pensamentos contínuos quando entra na água, porque eles não vão ajudar em nada ali. Apenas limpe a mente, seja determinado e confie na respiração, porque a respiração abrange tudo – seu ambiente interior e exterior.

Esses entendimentos, conquistados graças a uma experimentação rigorosa, me levaram a desenvolver e aperfeiçoar a técnica de respiração, mas isso aconteceu só depois que aprendi a lidar com o impacto agressivo do frio sobre o meu corpo. Fiz isso mudando conscientemente a minha bioquímica. A energia do impacto do frio encontrou a energia gerada pela minha respiração profunda e o efeito foi transformador. Não demorou muito para eu conseguir ficar na água gelada durante horas. Conseguia ficar ao ar livre no frio a noite toda, porque aprendi a regular minha energia por meio da respiração e da minha consciência. E você pode fazer o mesmo.

Consciência, percepção, entendimento – vamos voltar a tudo isso –, mas agora vamos nos concentrar no frio novamente. O impacto imediato do frio sobre o corpo pode ser um pouco doloroso, como uma picada de agulha, mas depois de um minuto ou algo assim, quando seus opioides e canabinoides naturais entrarem em ação, o desconforto diminui e é substituído por uma sensação de euforia. Você consegue recuperar dez vezes mais energia, conforme o fluxo sanguíneo começa a circular pelo seu corpo e isso acalma sua mente.

Depois você verá que a sua pele fica toda vermelha, lindamente corada, porque a pele está viva. Sempre estamos cobertos com roupas, o que desestimula a pele, mas o frio consegue revigorá-la. A melhor coisa que você pode fazer pela sua pele é entrar na água fria – não de repente, mas aos poucos; tenho 61 anos e ainda tenho a pele de um bebê.

As pessoas de hoje – supostamente muito conscientes de que devem cuidar da sua saúde – estão sempre a par das últimas tendências sobre nutrição, condicionamento físico ou métodos espirituais, porque ainda estão numa busca. Mas eu encontrei o que estava procurando na água fria e na respiração. Encontrei a quietude da mente, paz e energia positiva. O frio existe além dos nossos pensamentos e, se entrarmos nele gradualmente – aumentando aos poucos, digamos, a duração do nosso banho frio todos os dias –, descobrimos que, dentro de dez dias, várias coisas começam a acontecer. Primeiro, a frequência cardíaca diminui, o que significa menos estresse. Em seguida, o sistema vascular desperta e se otimiza até atingir a condição natural. Você se sente mais vivo.

Quando incorpora a prática da respiração à sua rotina regular, você consegue sentir os resultados imediatamente, em forma de mais energia e uma sensação de bem-estar. A alcalinização do seu corpo com a respiração começa a reduzir a inflamação que provoca a dor. Tanto os exercícios respiratórios quanto o frio treinam o sistema vascular e causam impacto sobre a bioquímica; o frio, porém, age mais sobre o sistema vascular, enquanto a respiração exerce um efeito maior sobre a bioquímica do corpo, além de regular o sistema nervoso simpático e parassimpático. Isso é essencial para a saúde e o bem-estar geral. Isso é alquimia.

O propósito deste livro é mostrar como você pode despertar a sua fisiologia há muito tempo adormecida e fazer seu corpo e sua mente voltarem ao estado natural original, que nunca deveriam ter perdido. Os métodos descritos aqui vão permitir que você acesse não apenas os cinco sentidos, mas também, como veremos no Capítulo 12, outros sentidos que você pode nem saber que tem. Por ora, apenas continue com os banhos frios e praticando as técnicas de respiração, pois eles fazem maravilhas. Simultaneamente, porém, você estará adquirindo uma perspectiva totalmente nova no que diz respeito à sua fisiologia. E, enquanto o frio e a respiração estão operando sua bela magia em seu corpo e em seu cérebro, proporcionando inúmeros benefícios físicos e mentais, essas práticas também vão permitir que você supere seus limites e acesse o poder do seu cérebro, a sede da sua mente. Você vai encontrar mais informações sobre esse assunto no próximo capítulo.

É hora de abraçar nossos mamíferos interiores, antes que seja tarde demais, antes de perdemos a conexão com a nossa natureza interior para sempre. Está tudo ali, à nossa disposição. Dizer que "um banho frio por dia mantém a sua saúde em dia" ou "Basta respirar, caramba!" são simplificações exageradas, admito, mas estamos lidando com a nossa qualidade de vida. É tudo bioquímica. Por meio da respiração, nosso corpo fica alcalino e oxigenado e nos tornamos mais capazes de regular nosso sistema nervoso. Por meio do frio, podemos ativar o fluxo sanguíneo e deixá-lo sob nosso controle intencional. Adquirimos esse controle com a mente. Sim, a mente pode estar corrompida por pensamentos e pelo ego, como já expliquei, mas essas coisas estão separadas do corpo, separadas das partes sagradas de quem e do que somos, e separadas da alma.

COMO CURAR UMA RESSACA EM VINTE MINUTOS

Se você fizer as técnicas de respiração deste livro, saberá como combater substâncias tóxicas no corpo, incluindo a temida ressaca. Alguém que já tenha exagerado no vinho, na cerveja, no uísque, na tequila ou em qualquer outra bebida alcoólica e acordado no outro dia sentindo-se muito mal, conhece a dor de cabeça e o desconforto provocado pela ressaca. Existem todos os tipos de comprimidos, pós, poções e outras misturas nas farmácias que prometem curar ressacas, mas nenhum deles é tão eficaz quanto praticar vinte a 25 minutos do meu método de respiração.

Não acredita? Então tome como exemplo minha filha Laura. Quando Laura tinha 23 anos de idade, ela estava cursando dois mestrados ao mesmo tempo e dedicando a eles toda sua energia. Ela raramente bebia e nunca tinha fumado; em vez disso, estava totalmente comprometida com seus estudos. Passava os dias no computador, debruçada sobre suas teses. Mas, uma noite, ela estava numa festa e se excedeu um pouco. Bebeu muito mais do que estava acostumada e acordou se sentindo péssima. Ela me ligou e disse: "Pai, não consigo trabalhar. Não me sinto bem. Estou com uma dor de cabeça horrível."

Saiba que, na época, Laura nunca tinha feito meus exercícios de respiração ou aprendido meu método. Os filhos não ouvem os pais, ou as mães, porque não querem ceder à sua autoridade. Mas, nessa manhã, era a ressaca dela, não eu, que era a autoridade. Essa era uma experiência que ela nunca tinha vivido antes, mas lá estava - o resultado do *red, red whine*, como na música de Bob Marley. E Laura estava mal.

"Ouça", eu disse. "Você me viu fazendo essa respiração a vida toda. Então, por Deus ou pelo menos por vocês mesma, faça a respiração e apenas experimente. Realmente funciona!". É claro que ela resistiu, mas, no final, talvez por desespero, acabou concordando e começou a fazê-la. Trinta respirações profundas, expirar todo o ar, segurar, inspirar, segurar, repetir. E sabe de uma coisa? Em vinte minutos, a dor de cabeça tinha passado e ela conseguiu voltar ao trabalho. Só felicidade!

Como funcionou? É, na verdade, muito simples. A respiração alcaliniza o sangue, que elimina a acidez causada por substâncias tóxicas como o álcool. Eu aprendi isso por experiência própria, depois de desfrutar, ocasionalmente, de algumas taças de vinho a mais. Vinte a 25 minutos e acabou, adeus ressaca. É tiro e queda.

Fiquei feliz em ajudar minha filha, é claro, mas também fiquei feliz porque foi a primeira vez na vida que ela seguiu o meu exemplo. Sempre fui o pai esquisito, o pai que aparecia na escola calçando sandálias no meio do inverno, com neve no chão, e fazendo paradas de mãos no pátio. Os outros pais fumavam seus cigarros, me encaravam e zombavam de mim. "Esse cara é louco", diziam. "Não é normal". Ah, mas será que é normal tragar algo que envenena você e falar de outra pessoa assim? Meus filhos só queriam que eu fosse normal, um pai normal como os outros. Eles ficavam com vergonha de mim, às vezes. Mas eu não era normal, assim como não sou normal agora. Eu estava procurando outra coisa, algo maior, e não me importava muito com a opinião dos outros. Não era fácil para os meus filhos entender isso, mas, com o tempo, todos os quatro que tive com Olaya compreenderam a minha maneira de pensar. Todos eles trabalham comigo agora. É uma empresa familiar. Posso ver meus filhos todos os dias e interagir com eles, que agora são adultos. É maravilhoso. E, para Laura, tudo começou com uma ressaca.

CAPÍTULO 5
O Poder da Mente

O Método Wim Hof se fundamenta sobre três pilares. Os dois primeiros são o frio e a respiração. O terceiro pilar do método é a atitude mental. Em nossos programas de treinamento, chamamos esse pilar de "comprometimento", porque você precisa ter a atitude mental certa para assumir o compromisso de ir contra o seu ego e tomar o bendito banho frio, e apenas respirar. Você também pode chamá-lo de pilar do poder da mente. Porque ele inclui a vontade e o poder de imaginar, meditar, visualizar – o poder de enviar sua atenção a qualquer parte do corpo, para observar qualquer processo corporal. Nós temos esse poder. Voltamos-nos para os antigos yogues e xamãs em busca dos segredos do poder da mente, mas trata-se de algo mais simples do que tudo isso. Ele está ao nosso alcance e já foi comprovado pela ciência. Estudos científicos e experiência pessoais nos dão a confiança de que precisamos para praticar o método. Eles me deram a confiança para continuar a minha missão.

As descobertas da Universidade Estadual de Wayne não foram apenas espetaculares, mas também um verdadeiro avanço em nossa compreensão científica de como podemos controlar a mente para alterar conscientemente nossa bioquímica. Como isso funciona? Quando você entra na água fria, não está mais pensando, está apenas agindo. Então, de repente, os processos autonômicos do corpo assumem o controle. Temos de ir mais fundo para romper nosso condicionamento e conseguir o controle desses processos. O modo padrão do corpo é a sobrevivência. Ele faz tudo o que é necessário para manter os órgãos vitais funcionando e é exatamente isso que ele faz quando é confrontado por um estressor ambiental como o frio. O frio é um professor. E impiedoso. Você não faz piquenique quando está exposto ao frio. Você não pensa na sua hipoteca, no aparelho dentário do seu filho ou no seu divórcio; você apenas sobrevive. Você reativa a parte mais profunda do seu cérebro. Isso é o que venho mostrar através do método, ao explicar como praticá-lo, como ir além do nosso condicionamento e das vias neurológicas estabelecidas para despertar o que há muito está adormecido dentro de nós.

De repente, sua consciência se sincroniza com a sua bioquímica e você consegue lidar naturalmente com o que o aflige – ansiedade, medo, depressão, o que for. Com o fluxo de sangue fornecendo oxigênio e nutrientes para as partes mais profundas do seu cérebro, você sente quietude, sente energia pura, sente o verdadeiro poder da sua mente. É assim que devemos nos sentir todos os dias, e nós podemos não apenas ser felizes, fortes e saudáveis, mas também imbuídos de propósito e senso de aventura. Sua alma ressuscita. É isso que a água fria faz. Ensina você não só a sobreviver, mas a viver de fato. E está tudo sob seu controle.

Levei muitos anos para conseguir que a comunidade científica olhasse para mim e para os meus métodos não só com curiosidade, como se eu fosse um espetáculo à parte, de modo que a aceitação gradual e a definitiva validação desses estudos contribuíssem para legitimar o que estamos fazendo. Seria fácil para mim dizer que essa validação não é necessária, que eu sempre soube a verdade sobre meu método e que a prova da eficácia dele pode ser constatada nos muitos milhares que beneficiou. Mas, para alcançar tantas pessoas quanto possível, para ajudar as pessoas em escala mundial – o meu objetivo –, o apoio da comunidade científica é imprescindível.

Professores universitários e imunologistas, entre outros profissionais, assumiram nossa causa. Logo após a publicação dos resultados iniciais de um estudo que fiz com o Centro Médico da Universidade de Radboud, Frits Muskiet, um professor de química clínica da Universidade de Gronigen disse na rádio nacional holandesa que tinham "identificado os fundamentos básicos de praticamente todas as doenças desta nossa época de prosperidade". Como Muskiet explicou, "Nosso corpo combate e debela infecções o tempo todo. O corpo deveria estar em equilíbrio, mas não está. Devido ao nosso estilo de vida atual, estamos sempre enfrentando alguma leve infecção. Eu poderia dizer que vivemos com uma infecção crônica, mas ela é tão leve que não sentimos nada... O grupo experimental nos mostrou que é possível reprimir essa resposta inflamatória. Espero que isso leve a muitas outras pesquisas".[1]

Temos mostrado por meio de evidências científicas e estudos comparativos que a exposição ao frio, combinada com a respiração consciente, a meditação e a atitude mental positiva, traz benefícios de longo alcance para a saúde humana. Praticantes dedicados ao método têm se mostrado capazes de reverter a diabetes, aliviar os efeitos debilitantes do mal de Parkinson, perder peso e alcançar feitos atléticos notáveis. Mas, para colher todos os benefícios do método, você precisa comprometer ao máximo a sua mente nessa prática. Afaste-se das distrações. Desligue a televisão e deixe o celular longe de você quando começar os exercícios de respiração a cada manhã. Dê a si mesmo tempo suficiente para que o tempo não esteja presente em seus pensamentos. Esses vinte a 25 minutos por dia requerem sua total atenção. A mente é um músculo neurológico capaz de influenciar os sistemas moleculares do corpo e de auxiliar na absorção de oxigênio, o que gera a energia desejada. Se quer que esse músculo funcione da maneira ideal, você tem que se render incondicionalmente à experiência. Tem que realmente buscar o que quer. Tem que desenvolver o terceiro pilar: confiança, atitude.

Essa confiança não tem nada de abstrato. Não estou falando de acreditar cegamente. Estou falando sobre um sentimento de sintonia focada. Faça essas técnicas e confie na sensação que isso lhe dá. Com o frio e a respiração, você está exercitando a "fiação" do seu corpo, comandando sua capacidade de ativar seu corpo, afastar o estresse e fazer tudo o que precisa ser feito com o poder da sua mente. Você está no comando. Desenvolva confiança e convicção naquilo que está fazendo. Só então você será capaz de se conectar com seu poder interior, com sua verdadeira natureza.

Para obter o máximo do meu método, você precisa investir nele mentalmente. Tem que se comprometer totalmente com ele. Sua atitude mental pode influenciar muito sua fisiologia. Em 2015, uma prova de conceito[*] anexada ao experimento da endotoxina

---

[*] Termo utilizado para denominar um modelo prático que pode provar o conceito estabelecido por uma pesquisa ou artigo técnico. (N. da T.)

mostrou uma associação entre um nível maior de otimismo e uma resposta imunológica ainda mais forte.[2] Sua mente é uma ferramenta impressionante.

Uma dose de ceticismo é saudável, é claro, e já convertemos muitos céticos que hoje são nossos defensores. O jornalista Scott Carney foi enviado para a Polônia, pela revista *Playboy*, com o propósito expresso de me expor como um charlatão. Mas ele não só deixou meu campo de treinamento acreditando no meu método, como acabou escrevendo um livro best-seller, *What Doesn't Kill Us*, em que narra sua experiência com o método, que culminou nas proximidades do cume do monte Kilimanjaro.

Carney não é o único cético que convertemos. As pessoas vêm procurar o método por vários motivos, algumas inspiradas pelo que eu fiz, algumas motivadas a mudar de vida, outras querendo ver se o que eu falo não é conversa fiada. Meu método tem seus próprios méritos. De qualquer maneira, tudo o que eu quero é levar as pessoas de volta ao seu poder interior. O que você faz com seu poder interior é problema seu. É como uma volta para casa, sendo que a casa é você mesmo. Defina sua mente como quiser. Faça a respiração. Veja como se sente. Vá para o frio. Esforce-se para ir fundo no método. Não perca a curiosidade pela experiência. Permaneça aberto, mas tenha comprometimento. Seja determinado.

Como dizem: "Se você acha que pode ou acha que pode não pode, nos dois casos você está certo". Essa é uma frase muitas vezes atribuída ao fabricante de automóveis americano Henry Ford, que sabia um pouco sobre o poder da crença, eu diria; porém, a mensagem dessas palavras remonta a milhares de anos. Ela é atemporal, na verdade. A sua mentalidade, a sua atitude, desempenha um papel decisivo no sucesso ou no fracasso que você tem em qualquer empreendimento, e as técnicas que apresento neste livro não são nenhuma exceção. Eu sou a prova viva da sua eficácia e milhares de outras pessoas, entre elas muitos céticos, também são. E assim como não existem ateus nas trincheiras, não existem descrentes no banho gelado. Na verdade, o simples ato de tomar um banho gelado já representa, para alguns, um salto de fé. Mas, quando alcançamos um estado em que não existem pensamentos, apenas sentimentos, sentimentos fortes como aqueles presentes nas raízes de toda fé, ali existe apenas amor. E o amor é como a sua força vital; ele faz você voar. Eu me apaixono pela vida todos os dias e estou determinado a espalhar minha mensagem e fazer o mundo saber que esse tipo de amor está ao alcance de todos. Amor pela vida, amor uns pelos outros, amor por tudo o que acontece – de bom ou ruim –, porque somos seres preciosos e incríveis, e de potencial infinito. Acredite.

Eu sou louco? Sim, sou louco pela vida e pela minha esposa. Eu garanto felicidade, força e saúde para todos os que estão ao meu lado, porque esse é o que desejo para todos os meus entes queridos. É o que desejo para todas as pessoas, na verdade, qualquer ser vivo, porque eu respeito a vida. A vida está dentro de mim e eu sei que ela tem um propósito, que é irradiar amor. Se isso faz de mim um louco, que seja. Nós somos reis e rainhas, e, quando acordamos para o poder dentro de nós e procuramos cumprir a responsabilidade de exercê-lo, o que pode ser mais importante? O que mais nos faria feliz? Ter seis carros? Uma mansão? Coisas materiais são externas e não têm relação com a alma. Você só pode dirigir um carro e ocupar um cômodo de cada vez. Mas, se você busca a felicidade dentro do seu próprio ser e está no controle da sua própria força vital, da sua mente e do seu propósito, nada mais importa. Você pode ser feliz incondicionalmente. Esse é o tipo de felicidade que quero oferecer às pessoas que amo, porque ela vem de dentro. Já está aí, dentro de você. O condutor é o amor, que é o maior poder do universo, porque permite que a alma se expresse. Sem a alma, existe apenas escuridão, matéria escura, guerra. Nós somos os portadores da luz e temos o poder, através da mente e através da neurologia do coração, de forjar uma conexão mais profunda com nosso cérebro. Essa conexão é chamada amor e, com este método, somos capazes de espalhar esse amor e curar o mundo. Já é hora.

Aqui não há dogmas nem nada parecido. Não se trata de religião, mas de ciência. Portanto, você pode decidir por si mesmo se quer ou não ser feliz, forte e saudável. Nas páginas a seguir, explicarei mais sobre a ciência por trás das descobertas. Mas, por enquanto, basta sentir, ver e acreditar. O que você quer? Se quer ser feliz, forte, saudável e ter controle sobre a sua mente, o seu coração e o seu propósito, saiba que você pode encontrar tudo isso dentro de si mesmo.

Em janeiro de 2008, fui convidado para uma exposição em que ficaria mergulhado em quinhentos quilos de gelo, na calçada do Museu de Arte Rubin, em Nova York.[3] Foi a minha primeira visita aos Estados Unidos e estávamos tentando estabelecer um novo recorde mundial de resistência ao frio. Vinte equipes de reportagem se fixaram em mim, enquanto eu fazia uma demonstração pública da minha técnica, na abertura de uma nova série de eventos promovidos por esse museu, sobre arte e cultura do Himalaia. Eles entendiam que a demonstração se baseava um pouco na antiga técnica tibetana do *tummo*, ou coração interior. Os lamas são treinados nessa técnica tradicional ao longo de um longo e solitário retiro. Para provar que a dominam, os yogues têm que secar um lençol molhado apenas com o calor do próprio corpo, enquanto estão sentados em postura de meditação, no enregelante frio do Himalaia. O museu se referiu a mim como mestre, o que eu supunha que fosse, mas o que eles não sabiam é que eu não havia estudado com nenhum mestre no Tibete, em Dharamsala ou qualquer outro lugar. Meus professores eram os canais e parques de Amsterdã. Foi nesses lugares que aprendi a me expor ao frio e foi no Beatrixpark que entrei pela primeira vez na água gelada. Vinte e cinco anos de tentativa e erro, de testes, ajustes e aperfeiçoamento da minha prática me levaram a esse ponto. Em Nova York, era um dia relativamente quente de inverno, com a temperatura beirando os 3ºC. O vento soprava nas ruas. Pessoas se reuniram ao meu redor, incluindo repórteres de todo o mundo, que me vigiavam com seus olhos eletrônicos, enquanto eu entrava na caixa de acrílico. Aquilo tudo me lembrava um espetáculo circense.

Esse foi o dia em que encontrei Ken Kamler pela primeira vez. O dr. Kamler é uma autoridade nos Estados Unidos e um médico especialista em expedições ao monte Everest e ao K2. Ele é o autor de *Doctor on Everest* e *Surviving the Extremes*, dois livros baseados em suas experiências na prática da medicina em ambientes extremos. Esse também foi o dia em que conheci a assistente de Kamler, Granis Stewart, enfermeira e praticante de mergulho livre, que já tinha conhecimento das técnicas de respiração. Kamler e Granis estavam presentes na minha demonstração porque tinham um interesse pessoal na minha técnica, e por isso monitoraram meus sinais vitais e minha temperatura corporal ao longo de todo o evento.

Poucos meses antes, eu tinha feito uma maratona completa no monte Everest, durante oito horas, descalço e a uma altitude de cerca de quase cinco mil metros. Como um gesto de boa vontade e para me desejar boa sorte, alguns tibetanos tinham me presenteado com uma espécie de bandana, um lenço branco, chamado *kata**. Eu havia levado o *kata* para Nova York e, considerando o foco principal do Museu de Arte Rubin e esperando que o lenço mantivesse sua magia, eu o usava na cabeça.

Havia um burburinho crescente na multidão e eu estava muito animado também, mas não deixei que nada disso tirasse a minha concentração. Eu sabia o que estava fazendo e o que ia acontecer, porque já tinha tudo programado. Tudo o que eu fiz foi me manter ali no gelo e fazer como sempre faço na natureza: me fechei para o mundo exterior e concentrei minhas energias dentro de mim mesmo. Enquanto a temperatura do meu corpo aos poucos caía mais de cinco graus, até um nível que seria fatal para uma pessoa comum, fui capaz de aumentá-la em quase quatro graus com o poder da mente. Isso surpreendeu o dr. Kamler e sua equipe, para não mencionar a audiência de TV ao vivo, mas eu sabia, ao programar a neurologia da minha mente, que poderia tornar meu corpo mais ativo interiormente. Eu poderia aumentar a atividade metabólica e

---

* *Kata*, ou lenço da felicidade, é uma peça de pano branco que simboliza um vínculo ou uma conexão entre quem o oferece e quem o recebe. Para tibetanos laicos, a troca de *katas* é uma forma de saudação, mas com um significado bem maior do que o aperto de mãos no Ocidente. (N. da T.)

também ativar todos os tipos de hormônios para gerar calor dentro do meu corpo. Trata-se de uma sequência de coisas, uma reação em cadeia, que torna o corpo muito mais forte. Você ativa o eixo hipotálamo-hipófise-adrenal do cérebro e se torna mais quente na presença do frio, mais frio na presença do calor e mais receptivo à ingestão geral de oxigênio ideal. É realmente notável.

Aqui estou eu mergulhado no gelo, do lado de fora do Museu de Arte Rubon, em Nova York.

PROTOCOLO MWH: EXERCÍCIO BÁSICO DE ATITUDE MENTAL

A maior realização que você pode alcançar é a quietude da mente. É apenas quando a mente está em silêncio que você consegue ir da programação externa para a interna. Na ausência de pensamentos, essa quietude deixa seus sentimentos em sintonia com o âmago do seu ser, refletindo seu verdadeiro eu como um espelho. Foi assim que consegui todos os meus recordes – e você também é capaz disso.

Primeiro, afaste-se de todos e encontre um lugar confortável para se sentar. Então comece a seguir a respiração:

> Respire fundo, solte o ar.
> Respire fundo, solte o ar.
> Respire suavemente.
> Respire fundo, solte o ar.
> Respire fundo, solte o ar.
>
> Uma sensação de calma começará a se espalhar pelo seu corpo e é nesse momento que você poderá se concentrar na tarefa a seguir: comece a observar seu corpo enquanto visualiza o que vai fazer. Talvez queira ficar mais tempo sob uma ducha de água fria ou alcançar um novo recorde pessoal de flexões de braço. Talvez queira manter por mais tempo uma postura de yoga particularmente desafiadora ou fazer um passeio de bicicleta mais longo do que de costume. Agora é a hora de examinar seu corpo e definir sua intenção. Não tenha pressa ao fazer isso. Diga ao seu corpo o que você espera que ele faça. Observe suas sensações, para perceber como se sente. Você vai conseguir detectar qualquer desalinhamento entre sua intenção e as sensações do seu corpo. Permaneça calmo, continue respirando e espere até perceber um sentimento de confiança, a sensação de energia centrada ou de alinhamento.
>
> Dê poder a esse sentimento com a sua respiração e depois faça o que você pretende fazer. Eu lhe desejo sucesso.

Minha experiência no Everest foi muito instrutiva, pois, enquanto eu corria a maratona, enfrentei não apenas neve e temperaturas baixíssimas, mas também um ambiente com aproximadamente metade do oxigênio disponível no nível do mar. Para combater o frio, você precisa de combustão, o que requer oxigênio. Mas, quando falta oxigênio, a mente entra em ação. Ela é capaz de ativar os hormônios certos para permitir uma maior absorção de oxigênio. Foi o que fiz no Everest: usei a mesma técnica que empreguei naquele dia, do lado de fora do museu, em Nova York. Tudo se resume a um sentimento de confiança fundamentada e à certeza de que, no momento em que eu mentalizar, isso vai acontecer. Eu havia aplicado a mesma atitude mental a centenas de desafios anteriores e isso aumentou a minha confiança. Aceitei minha jornada e confiei no que via. E estar em sintonia com o momento, com o que estava acontecendo, ajudou a ativar meu corpo. Ele estava preparado para responder e eu sabia que iria dar o melhor de mim. Além disso, com o hábito de enfrentar conscientemente o estresse do frio e me adaptar a ele, aprendi a ativar o tronco cerebral, que rege nosso instinto de sobrevivência, nossa resposta de lutar ou fugir e nosso desejo por alimento e procriação, todos intimamente ligados à emoção.

O frio e o calor também agem como emoções. A emoção, no final das contas, é biológica, um estresse biológico interno, expresso por meio de hormônios. Quando enfrenta o frio com consciência, você aprende a lidar com a adrenalina e a epinefrina, mas também com a dopamina, a serotonina, os canabinoides e os opioides que seu corpo produz naturalmente como uma resposta a esse estresse. Eu não sabia na época, mas era o que eu estava fazendo ali, na calçada do museu. Agora sei por que tive tanto controle. O dr. Kamler, que estava me monitorando o tempo todo, nunca tinha visto nada parecido, e ele é uma autoridade no estudo da sobrevivência em condições extremas. Ele escreveu um livro sobre isso.

"Segundo o dogma médico padrão, quando sua temperatura central cai abaixo de 32 graus, você para de tremer, que é um processo que gera calor", escreveu o dr. Kamler posteriormente. "Daquele ponto em diante, se uma fonte de calor externo não for fornecida, a temperatura corporal continuará a baixar, numa espiral, e a pessoa acabará morrendo de hipotermia. Wim provou que isso está errado. A temperatura corporal dele caiu para 31 graus e depois voltou para 34, sem qualquer fonte externa de calor. Ele nos mostrou, de uma maneira surpreendente, que existe um poder incrível dentro do ser humano que a medicina moderna ainda não entende muito bem".[4]

Mais tarde, depois de comemorarmos, o dr. Kamler e eu participamos de uma conferência no museu para discutir o que tinha acontecido ali na calçada e como eu fui capaz daquilo. Trezentas pessoas estavam presentes e eu subi no palco e contei minha história para o público americano, em inglês, pela primeira vez. Falei primeiro sobre as ocasiões em que entrei na água no Beatrixpark e senti essa conexão. Contei que aprendi a ativar partes do meu cérebro e do meu corpo em reação ao estresse ambiental e expliquei como fazer isso conscientemente. Eu estava tão animado por estar ali com o dr. Kamler no palco! Mas, enquanto eu falava, pude ver o ceticismo se espalhando pelos rostos da plateia.

Mas então, sem aviso, alguém apareceu com uma câmera infravermelha e a conectamos ao telão atrás de nós, para que o público pudesse ver todas as imagens. E eles me perguntaram de repente, "Wim, você acha que conseguiria aquecer a sua mão em um minuto só com a força do pensamento?". Eu não sabia se conseguiria, porque nunca havia tentado. Então, pensei por um instante e disse: "Bem, eu já bati um recorde mundial hoje e estou me sentindo bem. Posso tentar!". Estendi a mão e, na tela, a imagem mostrou a minha mão na cor azul, indicando uma temperatura normal. Em seguida concentrei minha energia dentro de mim e na direção da minha mão. Dentro de um minuto, consegui aumentar a temperatura em mais de 6 graus. Era possível ver no monitor, claro como o dia. Até eu fiquei chocado – absolutamente chocado com essa validação. A cor mudou de azul para vermelho. As pessoas viram que consegui aumentar a temperatura da minha mão por vontade própria, e depois disso, havia muito menos céticos na plateia.

Digo "menos céticos" porque havia na ocasião e ainda existe agora, como nunca deixará de existir, pessoas que simplesmente se recusam a acreditar no que veem. Elas acham que é algum tipo de truque ou ilusão, ou que possuo algum tipo de habilidade sobre-humana, que sou uma aberração genética. Mas tudo o que estou fazendo é aproveitar o tremendo poder da mente, que, repito, é uma capacidade inata que todos temos dentro de nós. Como eu disse antes, não sou um super-herói e também não sou um guru. Tudo o que eu posso fazer, você também pode.

Foi uma noite marcante e conheci pessoas maravilhosas. Foi uma experiência muito emocionante para mim, porque ficou claro que eu tinha impressionado aquelas pessoas. O mundinho particular que eu tinha criado para mim havia colidido com o mundo maior, o mundo oficial dos cientistas e médicos e repórteres. Isso elevou a minha alma. Fui para a cama naquela noite sentindo como se eu tivesse feito um grande avanço, e de fato eu tinha. Mas minha aventura nos Estados Unidos estava apenas começando.

Logo cedo, na manhã seguinte, embarquei num trem com destino a Long Island (no estado de Nova York), com o professor William Bushell, um importante pesquisador que estudava os benefícios que a meditação fazia para a saúde. O professor Bushell passou quase vinte anos no departamento de Antropologia do MIT e também tinha afiliações acadêmicas com as Universidades de Harvard e Columbia. Estávamos indo para o Feinstein Institute for Medical Research, localizado em Manhasset, para nos encontrarmos com o diretor do Instituto, o dr. Kevin Tracey, e fazer alguns experimentos. Foi um passeio agradável, de quarenta minutos, depois do qual o professor Bushell e eu nos acomodamos no hotel e nos sentamos para nos conhecer melhor. "Ouça, o que capazes de fazer é muito mais do que pensamos", disse eu. Ele tinha acabado de publicar um importante trabalho científico, intitulado *Longevity, Regeneration, and Optimal Health*, em conjunto com a Academia de Ciências de Nova York e, depois de testemunhar o que eu tinha feito na calçada do museu e no palco, estava muito interessado em ouvir o que eu tinha a dizer. O professor Bushell é um homem gentil e extremamente culto, e nem sei nem dizer o quanto seu apoio e amizade ajudaram a aumentar nossa credibilidade na comunidade científica.

O dr. Tracey e sua equipe queriam realizar um experimento para estudar o meu nervo vago, ou décimo nervo craniano, que é autônomo e por muito tempo acreditou-se que suas funções estivessem além do nosso controle. Vários experimentos conduzidos numa ampla gama de sujeitos foram realizados ao longo de muitos anos e todos eles mostraram que não havia como um ser humano influenciar, conscientemente ou não, seu nervo vago. O nervo vago está muito relacionado com a inflamação, portanto, se de algum modo fôssemos capazes de influenciá-lo, haveria uma chance de suprimirmos a inflamação e, por extensão, tratarmos e talvez até mesmo revertermos a doença. Como isso poderia ser feito, no entanto, ainda não sabíamos. E é por isso que eles tinham me convidado para ir a Manhasset.

Eles me conduziram a uma sala bonita e confortável, e pediram que eu me sentasse. Em seguida, inseriram uma agulha num dos meus braços, para colher sangue, e conectaram meu outro braço a um monitor de sinais vitais. "Agora medite", disseram. Mais uma vez, eu não sabia exatamente o que era para eu fazer, mas resolvi simplesmente fazer o meu melhor. Comecei a fazer meus exercícios respiratórios e descobri, para grande consternação dos pesquisadores, que, quando você não respira por dois minutos, o monitor de sinais vitais registra uma linha reta, como se você estivesse morto. Eles não sabiam disso, porém, e presumiram que o monitor estava com defeito. Então continuei com meus exercícios de respiração, enquanto eles providenciavam um novo monitor e o conectavam a mim. Mas alguns minutos depois, a mesma coisa aconteceu, porque eu normalmente fico mais de dois minutos sem respirar quando pratico a minha técnica de respiração. Portanto, como pode imaginar, surgiu outra linha reta no monitor e os pesquisadores ficaram intrigados, porque não sabiam que eu estava causando aquilo e que não havia nada de errado com o aparelho. Depois que me conectaram ao terceiro aparelho, eles decidiram colher meu sangue simultaneamente, o que lhes permitiu obter os dados de que precisavam. Disseram que demoraria uma semana para que obtivéssemos os resultados, porque eles analisariam 307 marcadores sanguíneos diferentes, para ver se eu estava de fato influenciando meu nervo vago.

Enquanto esperava os resultados do Feinstein Institute, fui de avião para Duluth, em Minnesota, com a intenção de visitar o Laboratório de Hipotermia da Escola de Medicina da Universidade de

Minnesota. Dois fisiologistas mundialmente famosos, o dr. Robert Pozos e o direitor do laboratório, Larry Wittmers, me submeteram a um experimento em que monitoraram a temperatura central do meu corpo e os meus sinais vitais, enquanto eu imergia na água gelada em intervalos de quinze e depois de vinte minutos. Os fisiologistas ficaram ambos surpresos quando constataram que eu conseguia manter a temperatura interna, pois nenhum dos dois já tinha visto algo parecido antes, apesar de estudarem o frio havia anos. "A resposta normal a um choque térmico ou ao frio foi completamente obliterado", disse o dr. Wittmers posteriormente, à ABC News. "Não ocorreu nenhuma das reações normais que costumamos ver. E as reações que normalmente se vê na maioria das pessoas expostas a esse tipo de situação são incontroláveis".[5]

Imerso na água gelada, na Escola de Medicina da Universidade de Minnesota.

Depois disso, voltamos para Nova York e, logo depois, recebi um telefonema do dr. Kamler. Ele tinha recebido os resultados dos experimentos do Feinstein Institute e estava muito animado para mostrá-los. "E se você for capaz de reproduzir o que fez", disse ele, "isso vai ter enormes consequências para a humanidade". Então ele enumerou cerca de vinte doenças e problemas de saúde, desde artrite até a doença de Crohn, que poderiam ser combatidas graças ao controle que demonstrei sobre o nervo vago, algo sem precedentes. O experimento mostrou que eu estava controlando um mecanismo autônomo, o que significava que eu era capaz de controlar uma inflamação, causa e efeito de tantas doenças. As aplicações médicas desse achado pareciam, aos olhos do dr. Kamler, ilimitadas.

E se realmente formos capazes de ter controle sobre a causa e o efeito das doenças com o poder da nossa mente? Isso não seria incrível? Aconteceu em Manhasset. E como o dr. Kamler falou, eu estava dominado por um tremendo senso de propósito, um conhecimento direto. *Sim*, eu disse a mim mesmo. "Eu posso fazer isso. Despertei esse estado conscientemente e posso mostrar às outras pessoas como fazer isso também". E ali, naquele momento, nasceu minha verdadeira missão. Eu sou um missionário, lembra? Lembra que, no meu nascimento, minha mãe disse: "Meu Deus, deixe meu filho viver! Vou fazer dele um missionário"?. Bem, foi naquele exato momento que percebi que minha missão é levar esse conhecimento para a humanidade, porque todos são capazes de fazer o que eu faço. Eu me sentia inspirado e totalmente comprometido com a minha missão, e com essa poderosa constatação, um sentimento de fé e predestinação despertou em meu ser. Foi transformador.

Meia hora depois, recebi um telefonema da minha esposa. Minha mãe tinha falecido. Ela tinha sofrido uma queda, entrado em coma e morrido. Ela tinha prometido fazer de mim um missionário, e agora, no momento em que a minha missão tinha finalmente se materializado diante de mim, ela se fora. Era como se ela soubesse. Eu senti um vazio no coração, mas também estava cheio de esperança. Pensei, "Mãe, fique em paz. Você foi uma ótima mãe. Vou cumprir a minha missão e honrar você, difundindo minha mensagem a tantas pessoas quanto puder. Vou devolver a felicidade, a força e a saúde ao lugar a que elas pertencem, mãe – à alma e à nossa consciência, onde a vida e o amor já desabrocharam".

Nas semanas seguintes, o dr. Kamler, o dr. Tracey e eu planejamos por telefone realizar um estudo comparativo num retiro budista nas montanhas Catskills, no estado de Nova York. Eu iria treinar um grupo de sujeitos para controlar o nervo vago do mesmo modo que eu tinha demonstrado que era capaz. Mas isso nunca chegou a acontecer. Não recebi mais nenhuma notícia de Nova York. Não entendi a razão. Eles já tinham realizado vários estudos com outras pessoas que não conseguiram alcançar os resultados que alcançamos, mas por algum motivo a pesquisa não teve continuidade.

Fiquei decepcionado, é claro, mas não me deixei abater. Continuei a trilhar o caminho da minha missão. Três anos depois, fiz contato com Vincent Wijers, diretor do Circus of Thoughts, um *show* realizado no famoso Royal Theatre Carré, em Amsterdã. Ele tinha ouvido minha história e se sentido inspirado pela minha convicção. Ele queria me colocar no palco daquele teatro de quase dois mil lugares e me deixar ali mergulhado no gelo por uma hora ou mais, para demonstrar que eu era capaz de controlar a temperatura do meu corpo. Um experimento seria realizado antes, sob a supervisão da professora Maria Hopman, fisiologista do Centro Médico da Universidade de Radboud, em Nijmegen, e posteriormente reproduzido no palco do Circus of Thoughts.

Quando cheguei ao teatro, havia pelo menos vinte pessoas me aguardando e um número ainda maior de monitores. Eles haviam preparado um experimento bizarro para mim: oitenta minutos mergulhado no gelo, com a exceção de um braço, que ficaria do lado de fora do tanque para que pudessem colher meu sangue. Engoli um dispositivo do tamanho de um comprimido, capaz de medir a temperatura central do meu corpo e exibir suas leituras num monitor remoto. Eles colocaram uma grande quantidade de sensores em mim, para medir a temperatura da minha pele. Colheram 36 frascos de sangue, durante os oitenta minutos em que fiquei no tanque, e os enviaram para seis laboratórios de análise diferentes.

Foi tudo muito estranho, como um circo científico, e, em resultado, o experimento atraiu a atenção da universidade. Muitas pessoas ficaram curiosas para ver o motivo de toda aquela comoção, incluindo o dr. Mihai Netea, uma das maiores mentes da Holanda e um dos principais cientistas do mundo no que diz respeito ao estudo da evolução do sistema imunológico humano. O que o dr. Netea e seus colegas observaram foi incrível aos olhos deles, é claro, e mais notável ainda porque eles sabiam que o que eu estava fazendo não era possível do ponto de vista fisiológico. No entanto, lá estava eu. Durante todos os oitenta minutos em que fiquei exposto ao gelo, minha temperatura corporal central permaneceu em constantes 37 graus. Minha frequência cardíaca continuou baixa e minha pressão arterial, dentro da faixa normal.[6]

O estudo do professor Hopman mostrou que minha taxa metabólica aumentou em 300 por cento durante o período de exposição, o que, por sua vez, resultou num aumento na produção de calor no meu corpo. "Apesar dos oitenta minutos de imersão no gelo, de corpo inteiro, e da significativa perda de calor através da pele, a temperatura corporal central [do sujeito] foi mantida, provavelmente por um aumento no dispêndio de energia (e, portanto, na produção de calor)", escreveu o dr. Hopman em seu relatório de caso. "Esse indivíduo pode ter influenciado o sistema nervoso autônomo, regulando ativamente, assim, o sistema cardiovascular e a termorregulação".[7]

Os médicos ficaram todos muito surpresos, mas eu sabia do que eu – ou melhor, a minha mente – era capaz. Eu também havia preparado minha bioquímica para o experimento, fazendo meus exercícios de respiração no carro no trajeto para a universidade. Meu metabolismo tinha acelerado a ponto de eu simplesmente não sentir frio. Embora a temperatura da minha pele tivesse caído muito, era como se eu tivesse ligado um aquecedor dentro do meu corpo. Eu me sentia ótimo. Conseguia me movimentar e falar com todos à minha volta e responder às suas intermináveis perguntas. Eu não estava tremendo de frio nem sofrendo com dores insuportáveis. Na verdade, era exatamente o contrário.

Os médicos colheram vários frascos de sangue durante o experimento, por isso decidiram realizar alguns experimentos com ele, em vez de simplesmente realizar a análise. Uma coisa que eles fizeram foi expor as amostras a bactérias conhecidas por causar uma reação violenta quando expostas às células do sistema imunológico. Mas, no meu sangue, não houve nenhuma reação. Constatando esse fato e imaginando as possíveis aplicações médicas no que diz respeito aos tratamentos de viroses e infecções bacterianas, o dr. Nitea me perguntou se eu estaria disposto a participar de um outro experimento. Em colaboração com os doutores Peter Pickkers e Matthijs Kox, o dr. Nitea propôs injetar em mim uma endotoxina – uma bactéria –, para ver se o sistema imunológico do meu corpo reagiria e como isso aconteceria.[8] Eles já tinham injetado essa bactéria, *E. coli*, em mais de 240 indivíduos anteriormente e cada um deles tinha apresentado sintomas semelhantes aos de uma gripe, como febre, calafrios e dores de cabeça. Mas, como meu sangue não tinha reagido à bactéria fora do meu corpo, eles estavam curiosos para ver se meu corpo conseguiria suprimir os marcadores inflamatórios normalmente causados pela bactéria, quando injetada. Eu concordei.

Pouco tempo depois de eu voltar ao hospital universitário, eles examinaram meus sinais vitais e medidas basais e, em seguida, pediram para que eu me deitasse numa maca. Conectaram-me a vários tipos de fios e monitores diferentes e, depois, o dr. Pickkers injetou a bactéria em mim, explicando que levaria de sessenta a noventa minutos para eu sentir algum efeito. Comecei a fazer o meu protocolo básico de respiração preventivamente e, uma hora depois, ainda não estava sentindo nada. Sem febre, sem dor de cabeça, sem dores musculares. Nada. Enquanto eu fazia a minha respiração, os médicos observaram nos monitores que meus níveis de saturação de oxigênio no sangue, que no nível do mar normalmente devem ficar entre 95 a 100%, ficaram na faixa dos 30%. Veja você, as pessoas normalmente morrem quando estão abaixo dos 50%, mas eu estava levando esses níveis deliberadamente para 30%, o que fez o monitor de sinais vitais desligar, como se eu tivesse morrido. Como aconteceu nos experimentos do Feinstein Institute, só se via no monitor uma linha reta. Mas eu estava muito vivo e me sentindo muito bem. Na verdade, profundamente relaxado. Eu tinha entrado num estado hipóxico controlado, que pode ser muito benéfico para o corpo. Aliás, o Prêmio Nobel de Fisiologia foi concedido, pouco tempo atrás, a três pesquisadores cujo trabalho se concentra no modo como as células se adaptam às mudanças no nível de oxigênio, especificamente o efeito positivo no metabolismo celular e nas funções do corpo em geral, quando os níveis de oxigênio estão baixos.[9]

Os médicos retiravam sangue a cada cinco ou dez minutos e, em seguida, o enviavam ao laboratório para medição e análise, com o intuito de determinar se as interleucinas IL-6, IL-8 ou IL-10 e os fatores de necrose tumoral estavam sendo afetados ou não. Numa linguagem que leigos podem compreender melhor – e eu sou leigo –, IL-6 e IL-8 são proteínas pró-inflamatórias e a IL-10 é uma proteína anti-inflamatória. O termo "fator de necrose tumoral" refere-se a proteínas secretadas principalmente por macrófagos, capazes de provocar a morte de células cancerosas. Os resultados dos exames de sangue, portanto, mostraram que eu estava suprimindo os marcadores inflamatórios IL-6 e IL-8. Isso era bem significativo, considerando-se a proliferação e o custo exorbitante das drogas injetáveis "biológicas" inibidoras da ação da IL-6, que um número crescente de pessoas com doenças autoimunes, como esclerose múltipla e artrite reumatoide, estão hoje consumindo.

Eu demonstrei uma supressão direta da IL-6 sem que nada fosse injetado em mim. Por isso divulgamos os resultados dos exames de sangue em emissoras de TV e eu chorei, porque fiquei muito feliz. Finalmente, todo o sofrimento causado pela repressão da minha verdadeira natureza, por todo o ridículo pelo qual eu tinha passado, iria acabar. Eu tinha conseguido mostrar ao mundo o que havia aprendido sobre o poder da mente, e tinha tomografias do meu cérebro e amostras de sangue para comprovar isso. As provas eram contundentes. O único problema era que as evidências científicas são válidas apenas se forem obtidas com um grupo comparativo. Eu era o único caso conhecido e uma só cobaia não produz uma prova científica. Durante anos, fui considerado uma aberração da natureza, uma anomalia genética, uma maravilha fisiológica. Conheci pessoas que zombaram de mim, afirmando que eu era um charlatão, uma farsa, uma atração de circo. *Venham ver o incrível Homem de Gelo!*

Precisávamos de um painel de testes.

A equipe do dr. Pickkers me perguntou quantos sujeitos seriam necessários e quanto tempo eu precisaria passar com eles. Seis meses? Um ano? Eu disse, "Só dez dias". Mas foram só quatro dias. Em quatro dias, treinei um painel de doze indivíduos do sexo masculino para suprimir os marcadores inflamatórios no sangue. Nenhum dos doze reagiu à endotoxina.[10] Nenhum ficou doente. Os resultados dos exames de sangue mostraram que todos eles estavam suprimindo os marcadores pró-inflamatórios IL-6 e IL-8, ao mesmo tempo em que aumentavam seus níveis de IL-10. O fator de necrose tumoral também estava ativado. Foi incrível. Nós tínhamos conseguido! Finalmente, tínhamos a prova que procurávamos. Não éramos mais um painel de testes composto de um único sujeito.

Eu tinha levado esses doze homens para o meu campo de treinamento na Polônia, perto da fronteira tcheca, com a intenção de prepará-los para o experimento. Eles não eram especiais nem notáveis, de forma alguma, mas cada um deles me ofereceu todo seu tempo e atenção. Mais do que isso, eles me deram um voto de confiança. Isso porque, embora eu tivesse estimado que levaríamos dez dias para completar o treinamento, decidi acelerar as coisas, levando-os ao monte Śnieżka – a 1600 metros de altitude –, já no quarto dia. Eu só tinha levado três homens comigo até então, mas sabia que a natureza selvagem tinha o poder de levá-los a um estado de medo, de excitação. A montanha era desconhecida para esses homens. Eles teriam que dar tudo de si para vencer aquele desafio, assim como teriam que fazer no experimento. Nenhum membro do grupo tinha experiência com montanhismo em climas frios, e a temperatura era de –10 graus – o que é um *frio de rachar* – e nós estávamos de peito nu, vestindo apenas *shorts*. Mas fizemos nossa respiração consciente, à medida que subíamos a montanha e, 25 minutos depois, estávamos todos suando. Quando chegamos ao cume e olhamos para o outro lado, vimos militares tchecos vestidos de ninjas. Estavam apenas com os olhos descobertos. Eles nos viram chegando e ficaram tão surpresos que nos pediram para tirar *selfies* com eles. Isso fez que meus companheiros se sentissem uns caras durões, com certeza. E a partir daí, decidimos chegar ao cume, onde estava -8 graus, com ventos extremamente fortes.

O monte Śnieżka é um dos lugares em que mais venta em toda a Europa, portanto realmente ventava forte e o vento só contribuía para aumentar a sensação de frio. É claro que, ao chegar ao cume, dançamos o Harlem Shake*. Nós nos sentíamos muito bem! Foi nesse momento que eu soube que os rapazes estavam prontos. Eles tinham despertado dentro deles uma energia maior do que conheciam e se conectado com ela. E, quatro dias depois, estavam todos no hospital, recebendo uma injeção de endotoxina, que tinha causado uma reação adversa em todas as 16.135 pessoas que tinham participado do estudo, com exceção de uma. Eu era o único que tinha conseguido suprimir uma reação adversa antes. E, quando esses doze homens também suprimiram uma reação, esse experimento mudou a ciência. O estudo foi publicado na revista *Nature* e nos *Proceedings of the National Academy of Sciences of the United States of America*, duas das publicações científicas mais respeitadas do mundo.[11] Ele também foi adaptado para se tornar um capítulo completo do livro didático *Biology Now*, de modo que agora está sendo integrado ao currículo de ciências dos norte-americanos em escolas secundárias e em universidades.[12]

Mas, embora as descobertas tenham chegado aos noticiários de TV de toda a Holanda e posteriormente tenham sido publicados nos principais jornais e até em livros didáticos, houve, para minha surpresa, pouco interesse por parte dos cientistas. Depois de anos suportando o escárnio dos céticos, mostramos definitivamente que doze sujeitos, empregando meu método, tinham sido capaz de influenciar o sistema nervoso autônomo e não apenas combater com

---

* Vídeo que registra um grupo de pessoas dançando e se divertindo ao ritmo da música Harlem Shake, de batida eletrônica. Com a internet, a brincadeira toma grandes proporções e é possível organizar um Harlem Shake em praticamente qualquer lugar. (N. da T.)

sucesso as bactérias que causam inflamação, mas suprimi-las por vontade própria. O sangue não mente e os resultados estavam ali para qualquer um ver. Tudo isso era até desconhecido na época, algo sem precedentes. Achei que merecíamos um Prêmio Nobel, porque tínhamos provado que somos capazes de afetar a causa e o efeito da doença. Pensei que iríamos inspirar novos experimentos e investigações. Mas os cientistas podem ser muito teimosos às vezes. Eles podem avançar tão devagar quanto uma tartaruga.

Fiquei desapontado, é claro, mas não estou esperando o Prêmio Nobel. Não preciso desse tipo de validação externa. Se você se preocupar muito com a validação externa, se desvia do caminho para si mesmo. Você sai do seu eixo. Amor-próprio é ter orgulho de si mesmo pela sua própria luz. Qual é a sua melhor versão? Avance em direção a isso, em vez de querer ser melhor do que os seus vizinhos. Apoie-se. Cuide de si mesmo. Não digo para proteger o seu ego, mas para permanecer ao seu lado quando se sentir mais amedrontado, desconfortável ou estranho. Fique calmo em seu amor por si mesmo. Isso vai permitir que você veja as outras pessoas com mais clareza e com mais compaixão. Não queira mudar os outros; mude a si mesmo. Apenas cuide da sua mente e deixe que os outros cuidem da deles. Mostre às pessoas quem você é por meio das suas atitudes, da sua convicção. Seja claro e transparente, vulnerável. Se eu me importasse com o que os outros pensavam de mim, eu já teria desistido há muito tempo. Teria sido devorado pelo sistema.

Eu simplesmente continuo seguindo em frente. Essa é minha missão. Quero revelar a verdade e compartilhá-la com o mundo. Não é minha verdade pessoal ou o tipo de verdade que se encontra nos livros didáticos, nem mesmo no *Biology Now*. Não. Estou falando sobre a verdade da natureza – a única verdade –, expressa através da minha crença e do amor de minha mãe. A vida é um mistério e eu o aceito. Meu coração está pleno. E a minha mente está determinada.

No inverno, realizamos uma série de retiros de uma semana na Polônia. Nessa época, está escuro, sombrio e muito frio. Mas, para muitos, é uma das melhores experiências da vida. Quando vamos para as montanhas, nós dizemos: "No ego, we go" [Sem ego, nós vamos]. Nós nos aventuramos vestindo nada além de *shorts* e tênis, com o peito nu, apesar do frio. Somos um só corpo. Ser parte de um grupo é muito bom para o indivíduo. Juntos vamos e juntos voltamos para a Mãe Natureza. E, quando chegamos ao topo da montanha, onde os ventos açoitam nosso corpo sem piedade, ninguém mais fala nada. Todo mundo está só ouvindo. Sobrevivendo. E o que acontece é que todos começam a sentir. Todos estão existindo em uma só experiência, pelo menos por um instante, além da mente. De repente, surge uma quietude, uma sensação que transcende os processos de pensamento, porque as partes mais profundas do cérebro estão sendo revitalizadas e reiniciadas. Eu experimentei essa sensação tantas vezes que agora o poder para mim está no compartilhar. Compartilhar essa sabedoria natural com outras pessoas é muito emocionante, um elevado estado de consciência. Os seres humanos são tribais e, como tal, a comunicação com as outras pessoas cria soluções norteadas pelos sentimentos, mas embasadas no bom senso.

Quando eu escalava o monte Kilimanjaro com grupos de pessoas, nós íamos até o fim, mas não porque eu precisasse impulsionar meu ego a chegar à "linha de chegada". A linha de chegada é ilusória. Ela não existe. Mas asseguro que cumpramos nossos objetivos. Porque, no final, estamos ali para ser pioneiros, para criar um novo patamar na mente da sociedade, novas possibilidades. E cada pessoa está unida ao seu propósito. Passo a passo nós avançamos. Eu fui surpreendido por tempestades de neve no meio do monte Everest. Saí rumo ao desconhecido com meus *shorts* e me perdi no meio do caminho. Fiquei sob o gelo e me perdi na água fria. Já me perdi tantas vezes que foi me perdendo que descobri o verdadeiro poder da minha mente. Foi assim que descobri minha verdadeira resiliência, que a minha mente era capaz de me manter sereno e me sentindo bem apesar das circunstâncias desesperadoras e até perigosas. Mas não estou preocupado em vencer o perigo. Não sou idiota. Se eu sinto que algo é perigoso, dou meia volta – não tenho nenhum problema com isso. Mas aprendi que estabelecer desafios para mim mesmo desencadeia realidades mais profundas dentro de mim. Em última análise, o objetivo é ser mais eu mesmo. Minha ambição é sempre movida pela minha missão, meu propósito. Defino metas não para atingi-las, necessariamente, mas para estar naquele momento em que sou uno com a realidade do agora, quando o último passo é que determina o seguinte, quando só posso me mover à medida que sinto. É incrível o que o senso de propósito e a convicção podem fazer. Coloque seu coração em qualquer coisa que você fizer e, se não puder, então você precisa realmente entrar em sintonia e se descontaminar, para poder voltar aos trilhos.

Você não precisa se aventurar até o Círculo Polar ou até o meio do deserto para vivenciar essa sensação, mas precisa se aventurar além da sua zona de conforto. A mente sem pensamentos está sempre quieta, sempre confiante. Basta seguir o poder da mente e você superará as piores situações e as mais estressantes. Frio, calor e emoção são, todos eles, formas de estresse. Eles são todos bioquímicos no final das contas, ou pelo menos se traduzem dessa maneira. Esses métodos nos permitem lidar com esse estresse e muitos outros, armados apenas com o poder da nossa mente. Nós enfrentamos o frio, respiramos e superamos o estresse, permanecendo com total controle da nossa felicidade, da nossa força e da nossa saúde. Quem não quer isso?

A eficácia do método não está mais em questão. Ele está provado. Resistiu ao escrutínio científico e é corroborado por estudos científicos, não especulativos. Depende de você adotar o método e ter determinação ao praticá-lo. Você não precisa ser um yogue por vinte anos para entrar nesses estados mentais e corporais profundamente alterados. Eu sou um homem simples e quero mudar o mundo. Já deu para perceber, né? Já deu para perceber porque você sabe que a mudança nessa escala ocorre não através da influência do dinheiro ou da manipulação das estruturas de poder, mas mostrando cientificamente que somos mais capazes do que jamais pensamos ser possível. Podemos alterar o nosso destino e a nossa vida e devolvê-los à nossa alma. Isso não é algum tipo de abstração; é a fonte de poder da nossa felicidade, da nossa força e da nossa saúde. É algo impulsionado pelo amor e é isso que eu desejo dar aos meus filhos e a todos os meus entes queridos, com respeito a todos os seres vivos da natureza e à própria Mãe Natureza.

MEDITAÇÃO DO MWH

As origens da meditação datam de 5000-3500 a. C., mas ela está constantemente evoluindo. Quando faz o protocolo de respiração consciente, você já está praticando um tipo de meditação, treinando a mente e conectando-se com o seu eu mais profundo. O princípio da meditação é seguir algo que não agita o cérebro pensante. Escolhemos algo muito simples e nos atemos a isso até que uma paz profunda recaia sobre nós. Eis uma maneira de conhecer essa paz.

1 Sente-se num lugar seguro e confortável e desanuvie a mente.

2 Comece a se conectar com sua respiração. Respire naturalmente.

3 Comece a contar as respirações. Cada inspiração e expiração é uma contagem. Conte a sua respiração de um até sete e depois de sete até um. Se você, de repente, se pegar pensando na sua vida diária e na sua lista de tarefas, volte a contar as respirações. Você acabará conseguindo apenas contar as respirações, até sete e voltando novamente. O fluxo do sangue vai atingir áreas mais profundas do cérebro, despertando sentimentos, não pensamentos. Deixe o sentimento ficar mais forte. Siga o sentimento e vá o mais fundo que puder. Conforme você avança, a contagem vai se desvanecendo, assim como uma música. Siga o sentimento e mergulhe fundo dentro de si mesmo, mergulhe profundamente na paz.

MWH EM RESUMO:
TRÊS PILARES DE UMA PRÁTICA DIÁRIA

RESPIRAÇÃO

1 Enquanto estiver sentado ou deitado, faça de trinta a quarenta respirações conscientes: inspire totalmente levando o ar para a barriga e o peito, depois solte o ar, sem forçar.

2 Em sua expiração final, deixe o ar sair e prenda a respiração o quanto aguentar sem sentir nenhum desconforto. Ouça seu corpo e não o force!

3 Quando sentir vontade de respirar novamente, respire fundo, segure por dez a quinze segundos. Depois solte o ar e relaxe.

4 Repita as etapas anteriores de duas a três vezes, prestando atenção em como você se sente e ajustando sua respiração conforme for necessário.

5 Descanse nesse estado elevado até se sentir preparado para retomar as atividades do dia. Uma alternativa é usar a energia que você acabou de gerar no seu treino matinal ou na prática de yoga. Experimente o que parece certo para você.

Parabéns! Você acabou de influenciar os principais motivadores da sua saúde, de aumentar sua vitalidade e seu foco, vencer seu estresse, reduzir os fatores de inflamação e otimizar seu sistema imunológico.

PARA PRATICAR A RESPIRAÇÃO MWH COMPLETA COM INSTRUÇÕES E DIRETRIZES DE SEGURANÇA, CONSULTE O CAPÍTULO 4.

MENTE

O estado em que você se encontra após a prática pós-respiratória é o momento perfeito para programar sua atitude mental. Experimente isto:

1 Antes de interromper a prática de respiração, evoque um pensamento do tipo, "Hoje vou ficar no banho frio por mais 15 segundos do que ontem" ou "Eu me sinto feliz, saudável e forte".

2 Reflita sobre esse pensamento e observe como o seu corpo se sente.

3 Se você identificar alguma resistência interna à sua intenção, apenas continue respirando continuamente, até sentir uma sintonia entre o corpo e a mente.

Com a prática, a sensação causada pela sua experiência interior, ou "interocepção", ficará mais nítida, permitindo que você observe e controle com mais consciência seu corpo e sua mente.

VEJA OS DETALHES NO CAPÍTULO 12.

FRIO

1 No final do seu banho quente, abra o registro de água fria.

2 Se quiser, você pode começar primeiro colocando os pés e as pernas, depois os braços, em seguida todo o tronco embaixo do chuveiro.

3 NÃO faça os exercícios de respiração básicos do MWH enquanto está em pé, no chuveiro.

4 Estenda gradualmente seus banhos frios todos os dias, até que consiga ficar dois minutos sob a água fria.

5 Se você estiver tremendo quando sair do chuveiro, experimente praticar o exercício da postura do cavalo. (Veja a página 187 para mais detalhes.)

Sucesso! Você acabou de melhorar a sua eficiência metabólica, regular seus hormônios, reduzir inflamações e usufruir das endorfinas e dos endocanabinoides produzidos em resposta ao frio.

PARA MAIS INSTRUÇÕES SOBRE A EXPOSIÇÃO AO FRIO E AS DIRETRIZES DE SEGURANÇA, CONSULTE O CAPÍTULO 3.

CAPÍTULO 6
Olaya

Para seguir em frente, às vezes temos que voltar ao passado. Neste caso, isso significa retroceder até os anos em que morei numa casa invadida. Esse foi uma época de formação na minha vida e eu olho para trás com grande carinho. Toquei muito violão, fiz muito yoga e, claro, foi lá que senti, pela primeira vez, meu fascínio pelo frio. Entrei na água no Beatrixpark e, a partir daí, minha vida ganhou mais profundidade e uma nova conexão, que eu não tinha antes, com a natureza e com meu eu interior. Investiguei cada vez mais, testando e experimentando, permanecendo em temperaturas abaixo de zero a noite toda, vestindo nada além de *shorts*, como algum tipo de lunático.

Eu não gosto de política, gosto de liberdade. E, na casa invadida, que era um grande orfanato abandonado, eu estava cercado de livres pensadores – poetas, artistas e músicos –, que moravam lá com suas mentes livres, deixando que a vida os levasse. Quando deixamos de lado o julgamento, as noções preconcebidas, conseguimos ver onde realmente estamos, e foi justamente isso que pude fazer naqueles anos. Fiz um balanço de quem eu era e quem eu queria me tornar. Muitos de nós, hoje em dia, têm medo ou não querem ser livres. Nossa vida é governada por regras, pela moralidade e por uma noção de ética que nos orienta para o senso de rebanho; somos informados pela comoção da política e pelo ciclo incessante dos acontecimentos da atualidade. Isso estreita nossa visão de mundo, o que é justamente o contrário do que significa liberdade.

Eu não sabia na época, mas a liberdade que tive enquanto morei na casa invadida foi o que me permitiu vislumbrar, pela primeira vez, o caminho que tenho seguido nos últimos quarenta anos. Ele me permitiu entrar em contato com o meu próprio bem-estar. Me inspirou a criar, escrever poesia e falar com entusiasmo sobre todos os tipos de assunto, desde filosofia e cultura até a natureza da existência; ele me permitiu expressar minhas ideias com liberdade e amor, por meio da arte. Ninguém vivia deprimido ou desiludido. Ninguém vivia estressado. E foi ali, com a possibilidade de ser livre, que descobri e cultivei a minha conexão com a água fria.

Buscadores que se sentem livres interiormente tornam-se descobridores. É quase impossível encontrar algo significativo quando você está preso ao estresse da vida diária, que pode ser exaustiva. Depois que você consegue se desvencilhar desse estresse, uma nova realidade pode se descortinar na sua consciência. O antigo orfanato era bem grande e continha dois pátios internos, que ofereciam um pouco de reclusão, mas também a visão de um pedaço do céu. No inverno, quando estava frio e o chão estava coberto de neve, eu passava a noite toda sentado num dos pátios, totalmente nu, para praticar o que com o tempo se tornaria o meu método. Eu podia praticar ali a hora que eu quisesse, nu em pelo. Não há nada de vergonhoso no fato de eu estar nu, mas, ora, eu não queria ser incomodado, então ficava ali sozinho. Lembro-me de me sentar no chão e sentir um grande poder dentro de mim, como se eu estivesse no comando dos elementos da natureza! Aquilo me levava para as profundezas de mim mesmo, embora eu ainda não soubesse como ou por quê. Tudo o que eu sabia é que era ótimo e eu queria me sentir assim o tempo todo.

Uma vez eu estava praticando yoga nu no pátio e uma das garotas achou que seria engraçado colocar os pés perto dos meus órgãos genitais. Mas não senti nenhuma excitação nem nada. Eu estava profundamente envolvido na prática e tinha controle real sobre mim. As pessoas ficaram surpresas, dizendo: "Ei, você não teve reação nenhuma. O que há de errado com você?". Mas não havia nada de errado comigo. Eu adoro mulheres e tenho seis filhos para provar. Mas não fico excitado se não estou a fim, é simplesmente assim. Tenho poder sobre minha própria sexualidade. Conquistei esse poder por meio da exposição ao frio. O frio ativa o eixo hipotálamo-hipófise-adrenal no tronco cerebral, e o tronco cerebral comanda não apenas nossa resposta de lutar ou fugir, mas nosso desejo inato de assegurar comida e a procriação. Eles são todos parte do nosso instinto de sobrevivência básico. São inerentes a nós. Mas minhas experiências com o frio me permitiram obter controle sobre esses instintos e também sobre as emoções associadas a eles.

O Beatrixpark ficava a cerca de 400 metros da casa invadida e ali eu encontrei meu próprio espaço entre duas árvores (dois salgueiros), onde ninguém podia me ver. Eu visitava esse lugar todos os dias, como um ritual, para recarregar minhas baterias. Dentro da água fria, mas também dentro de mim mesmo. Era como se a minha mente fosse reiniciada. Vinte e cinco respirações profundas, uma meditação dinâmica. Eu me dirigia ao meu lugar particular, entre os dois salgueiros e, enquanto me despia, olhava para a água e sentia a presença dela. Ali estava ela. E depois, quando entrava na água, eu me reabastecia por meio da respiração, sentindo no início uma sensação agradável de formigamento, que depois se intensificava, como se meu corpo fosse um fio elétrico. Depois da vigésima quinta respiração, eu imergia na água gelada, mantendo apenas as mãos na borda do buraco, para me orientar. Isso, em hipótese nenhuma, faz parte do meu método, porque é muito perigoso. Você pode facilmente desmaiar e se afogar. Mas era o que eu fazia na época.

Depois que estava sob o gelo, eu não ouvia mais nada. Não sentia nada além de uma profunda sensação de paz. Era como um renascimento. Eu ficava ali sob o gelo primeiro por um minuto, depois dois, três...; cheguei a ficar até a ficar quatro minutos sem respirar e depois mais. Depois de seis ou sete minutos, eu sentia vontade de urinar, o que era um sinal de que devia voltar à superfície. E, quando vinha a necessidade real de respirar, eu apenas me retirava da água sem problema nenhum. Permanecendo na mente, sem sentir frio nem tremer, apenas presente ali. De um modo natural. Eu saía, me vestia e fazia meus exercícios ali mesmo, à beira da água, completamente no controle e centrado em mim mesmo. E, nesse estado, eu era capaz de dar saltos acrobáticos, abrir espacates, fazer flexões, qualquer coisa. Era como se meu corpo tivesse ganho um poder incalculável. E, quanto mais eu fazia isso, mais forte esse poder se tornava.

Foi enquanto despertava para esse poder que conheci a mulher com quem me casaria. Eu estava numa reunião na casa invadida quando a vi dançando. Ela era tão linda... Cabelos longos cacheados, olhos brilhantes, lábios cheios, simplesmente encantadora. Lá estava ela dançando bem na minha frente e eu fiquei hipnotizado. Absolutamente paralisado. E então, para meu espanto, ela se aproximou e se sentou ao meu lado. Disse-me que se chamava Olaya. Um nome muito bonito. Ficamos conversando, rindo e tudo parecia muito fácil, muito natural. Então o grupo com quem estávamos decidiu fazer uma caminhada até o Vondelpark e eu fiquei olhando para ela o tempo todo. Mas era recíproco. Ela também olhava para mim. Algo estava acontecendo ali – havia uma energia entre nós –, mas, então, de repente, ela foi embora. Eu tinha ido dar um mergulho rápido na lagoa, ali no Vondelpark, e ela desapareceu. Fiquei de coração partido. Então me sentei no palco onde acontecem as apresentações do parque, e de repente, do nada, senti duas mãos nas minhas costas. Era Olaya e ela estava me transmitindo uma massagem! Naquele momento, eu realmente me entreguei. Sem medo, sem inibição. Eu apenas a puxei para mim e a abracei, e soube naquele momento que estávamos apaixonados. Nós nos demos as mãos e dançamos durante todo o caminho de volta, da cidade até a casa invadida, como se estivéssemos andando nas nuvens.

Dormimos juntos naquela noite, mas não fizemos sexo. Apenas dormimos juntos, com nossas roupas, e embarcamos em um relacionamento platônico, mas muito sensível, muito emocional, muito presente. Pode parecer estranho, mas continuamos assim por cerca de um ano. Não havia necessidade de sexo, porque estávamos nos conectando num nível diferente. A conexão era tão forte que estava claro que nada mais era necessário. Nós simplesmente nos amávamos e, quando estávamos juntos, era como se existíssemos fora dos limites do tempo. Era como viver na mais pura emoção do momento. É assim que me lembro, pelo menos. E foi lindo.

 Depois de cerca de um ano, ela teve que retornar à Espanha, ao País Basco. Ela se ausentou por cerca de cinco meses e eu me senti solitário sem ela. Então, um dia, uma carta chegou. Olaya voltaria para Amsterdã dali a um mês e é claro que eu estaria esperando por ela. Quando ela voltou, voltamos a sentir aquela mesma energia, e dessa vez ela se manifestou fisicamente. Tornamo-nos amantes. Mas, depois de quatro meses, ela foi para longe novamente, de volta para casa, na Espanha, e eu achei que estava tudo acabado.

 Olaya permaneceu na minha mente e no meu coração, é claro. Uma força como a dela não era esquecida rapidamente, e levou cerca de quatro ou cinco meses para que essa emoção dentro de mim se amenizasse. Eu sentia tanto a falta dela que isso começou a interferir em quem eu era e no que eu estava fazendo na época, mas, com o tempo, finalmente consegui recuperar o controle do meu estado emocional. Mas logo outra carta chegou, e desta vez ela dizia que estava grávida de quase seis meses. Então eu fiz o que qualquer pessoa na minha situação faria. Fui imediatamente para a estação ferroviária e embarquei num trem com destino a Paris. E de Paris para Pamplona, na Espanha. Naquela época, não havia celular e ela não me deixou nenhum número de telefone para ligar. Tudo o que eu tinha era a carta. Mas eu estava a caminho, rápido como uma flecha. Eu ia ser pai e meu coração estava cheio de orgulho.

Cheguei em Pamplona e fui recebido pela família de Olaya. O pai dela tinha olhos de um azul vibrante, que fixou em mim de uma forma que ninguém nunca tinha feito. Eles quase me perfuraram, invadindo meu ser como se tentassem sondar a minha alma. Enfrentei seu olhar penetrante com o meu, que dizia, "Estou aqui para assumir minha responsabilidade como pai. Eu amo a sua filha profundamente e farei o que for preciso para cuidar dela e do nosso filho". Depois disso, o olhar dele se suavizou e fui aceito pela família. Eles sabiam que minhas intenções eram nobres.

Como já contei, tenho um gêmeo idêntico e Olaya também tinha. A irmã dela se chamava Siuri. Lembro-me de caminhar por Pamplona, na beleza natural do País Basco, simplesmente orgulhoso de estar seguindo aquelas mulheres extraordinárias. Elas conversavam enquanto eu me esforçava ao máximo para entender o que diziam, pois meu espanhol não era tão bom. Às vezes eu não conseguia acompanhar a conversa, mas eu estava ali, e meu coração também, e o amor é uma língua universal. Ela tinha esperado mais de cinco meses para me dizer que estava grávida! Mas, depois de duas semanas em Pamplona, ambos sabíamos o que tínhamos de fazer. E voltamos para Amsterdã juntos.

Eu não tinha dinheiro, é claro, e ainda morava na casa invadida. Mas nós tínhamos amor e respeito um pelo outro, e encontramos uma maneira de sobreviver. Quando chegou a hora de Olaya dar à luz, tivemos que chamar um táxi. E eu era tão pobre que mal podia pagar o táxi até o hospital. Felizmente, o sistema de saúde na Holanda é acessível a todos, então não precisávamos nos preocupar com o custo da internação hospitalar.

Chegamos ao hospital por volta das dez da noite e, às cinco da manhã em ponto, nosso filho Enahm nasceu. Era 22 de março de 1983, mas me lembro como se fosse ontem. Ele tinha dez dedos, dez dedos nos pés, e todo amor do mundo. Depois de mais um ou dois dias, voltamos para casa, nos acomodamos e... lá estávamos nós. Uma família.

Existe uma lei na Holanda que exige que os pais registrem a criança no máximo três dias depois do nascimento, então eu tive que ir até o município para registrar nosso filho. O único problema era que eu ainda não sabia como iríamos chamá-lo, então o nome que dei a ele é "um nome". Em holandês, "um nome" é *een naam*, mas o tabelião não percebeu isso, porque escrevi de forma um pouco diferente, colocando um H antes do M. Enahm. Todos disseram: "Uau, que nome lindo!", o que me fazia rir. Eu só o chamei de "Um nome" porque não tinha outro nome para dar a ele. Trinta e sete anos depois, meu filho ainda é chamado de "Um nome" e muitas pessoas ainda me perguntam: "De onde é que vem esse nome? É tão exótico..., um nome estranho". Como não quero desapontá-las, costumo inventar alguma coisa. Mas naquela época eu não tinha nome e agora ele tem um nome (Enahm)! É isso aí!

Enahm era um bebê feliz, muito simpático, que ria o tempo todo. Você sabe o que eu fiz com ele? Desde bem pequeno, comecei a levá-lo para tomar banho de água fria. Apenas um mergulho rápido – nada de nadar no gelo! Ele ofegava a princípio, assustado, depois ria, ria muito. Quanta energia irradiava daquela coisinha minúscula! Fazíamos isso regularmente e ele adorava. Acho que isso contribuiu para ele ser um bebê muito forte e saudável, que ria o tempo todo e raramente ficava doente. Nós nos divertíamos muito com ele. Não nos preocupávamos com isso ou aquilo, como muitos pais de primeira viagem se preocupam. Não éramos nem um pouco inibidos com relação ao nosso amor por ele. E, quando você passa bons momentos com seu bebê e ele está crescendo saudável, forte e feliz, a ideia de um segundo bebê – e um terceiro e um quarto – passa a fazer sentido. Mesmo quando você não tem dinheiro. Então foi isso que fizemos.

Chamamos nosso segundo bebê, uma menina, de Isabelle. Isa era o apelido dela. Era um bebê realmente lindo, com os olhos azuis mais deslumbrantes que eu já tinha visto. Ela tem 35 anos agora e trabalha comigo, com o irmão Enahm, e, sim, a irmã, Laura, e o irmão Michael, que vieram logo depois. Laura tinha os maiores olhos que você pode imaginar num bebê, e demos a Michael esse nome em homenagem a Michael Jackson, o *pop star* americano. Eu adorava a música de Michael Jackson naquela época, e ainda adoro.

Depois que Isa nasceu, sabíamos que tínhamos que deixar a casa invadida. De repente, fui empurrado de volta para o sistema que eu havia rejeitado durante oito anos, e minha reentrada naquele mundo, com suas regras e convenções, foi bem difícil. Fui confrontado com todo tipo de pensamento convencional, de pessoas reclamando que nossos filhos faziam muito barulho. Para mim, eles eram supersensível, incapazes de aceitar a vida como ela é, quando se vive de modo tacanho. Esse tipo de vida deixa as pessoas estressadas, e então, quando crianças pequenas brincam – como qualquer criança – tornam-se um incômodo. À certa altura, tive até que procurar um advogado e me apresentar diante de um juiz, porque os outros inquilinos do prédio onde morávamos queriam que nos mudássemos. As crianças faziam muito barulho, eles diziam. A coisa toda era ridícula, mas deixou claro para mim que precisávamos fazer uma mudança.

Pegamos as crianças e as poucas coisas que tínhamos e fomos para a Espanha, para as montanhas. Meu irmão Rudie nos levou de carro. Encontramos um lugar em Iturgoyen, a cerca de quarenta quilômetros de Pamplona. Era uma casa grande e velha. Ninguém morava lá fazia uns dez ou quinze anos e de repente ela era nossa. Alugamos. Eu tinha que encontrar um trabalho, é claro. Então fui à aldeia e encontrei um emprego como professor de inglês. Uma escola em Estella, cerca de 14 quilômetros ao sul, precisava de alguém que falasse espanhol e inglês. Eu não era muito fluente em nenhum dos dois idiomas na época, mas percebi que sabia o suficiente para sobreviver. Então preenchi o formulário de emprego e tive a sorte de ser contratado. Também comecei a aprender basco, que é uma língua completamente diferente do Espanhol, mas muito bonita. Aprender a falar basco permitiu que eu me comunicasse melhor com Olaya, sua família e as pessoas de Iturgoyen e arredores.

O povo basco tem diferenças culturais e políticas com o governo espanhol, e foi reprimido por muito tempo. Os espanhóis querem que tudo seja espanhol e que a cultura espanhola seja a cultura dominante da região, mas os bascos são um povo orgulhoso e com uma rica tradição. A Espanha na época ainda estava se recuperando do regime fascista, que deixou uma marca duradoura na cultura. Ali havia também o Euskadi Ta Askatasuna, ou ETA, que era uma organização separatista basca que, depois de uma violenta campanha de bombardeios, assassinatos e sequestros, tinha sido rotulada como um grupo terrorista pela Espanha, França e Reino Unido, Estados Unidos, Canadá e União Europeia.[1] O ETA acreditava que eles estavam lutando pela sua libertação e liberdade cultural, mas seus métodos eram radicais. Eu sou totalmente a favor da liberdade, como já deixei claro, mas não gosto de matar. Quando se trata de fomentar a mudança, tendo mais para os moldes de Gandhi, de não violência: não há um caminho que leve à paz; a paz é o caminho. Essa é uma filosofia que posso apoiar.

No meio de todo esse conflito político, lembro-me de que uma noite dormi na casa dos pais de Olaya, em Pamplona, no oitavo andar, e tive um sonho. Sonhei que algo terrível tinha acontecido e, então, BUM!, acordei. "O que aconteceu?". Olhei pela janela e vi que tinha ocorrido um ataque com um carro-bomba numa rua mais abaixo; três pessoas tinham ido pelos ares. Três horas depois, quando desci para a rua, a Cruz Vermelha ainda estava lá fora. De início, não percebi o que estavam fazendo, mas então os vi juntando o que pareciam ser pedacinhos de carne, como *bacon*, de arbustos e outra vegetação espalhados pela rua. Foi uma visão repugnante, que nunca vou me esquecer.

Com o espectro da violência pairando sobre nós, minha esposa, nossos quatro filhos e eu enfrentamos alguns momentos difíceis. Eu não só tinha pouco dinheiro, como o estado mental de Olaya começou a se deteriorar. A escuridão, as sombras começavam a tomar forma e ganhar impulso. Ela costumava ser uma pessoa aberta, extrovertida; sempre falando... Um ser absolutamente único. É muito difícil ver alguém que você ama mergulhando na escuridão e afundando cada vez mais. Encontramos um ótimo lugar nas montanhas, longe do tumulto da cidade, e com a família dela por perto. Meu trabalho estava rendendo algum dinheiro, mas não o suficiente. Mas as sombras estavam cada dia maiores e não podíamos ficar mais, porque ela não estava cuidando das crianças e eu não conseguia fazer isso sozinho. Então eu levei Olaya para a casa dos pais dela, em Pamplona, e levei nossos filhos de volta para a Holanda.

Eu não tinha casa, nem dinheiro, nem emprego; só quatro crianças para vestir e alimentar. Felizmente para mim, o governo holandês oferece benefícios de assistência social e, após uma breve investigação, eles me ofereceram uma casa alugada e uma pensão mensal – algo semelhante aos benefícios da previdência nos Estados Unidos – e eu pude sustentar meus filhos. Mas minha Olaya não estava comigo. Quando ela vinha da Espanha nos visitar, eu nunca sabia que Olaya eu encontraria. Um dia ela era uma ótima mãe e tudo era maravilhoso, mas, em outros dias, ficava na cama e se recusava a participar da nossa rotina. Ela tinha depressão, uma depressão profunda, e estava apenas piorando. Com quatro crianças de 1 a 8 anos para cuidar, era difícil para mim encontrar (ou até mesmo procurar) um trabalho. E, na sociedade, se você não tem dinheiro, não tem meios de se sustentar, você não tem valor. Mas eu fiz o máximo para permanecer forte pelos meus filhos. Eu praticava a minha yoga, tomava meu banhos frios, fazia a minha respiração, as minhas posturas, e continuei acreditando que um futuro melhor estava à nossa frente.

Foi um período difícil, com certeza, mas não me desesperei. A respiração e o frio realmente me ajudavam a lidar com o estresse, seguir a vida e, pelo menos em minha mente, ser livre. Meu método se tornou uma prática e depois um ritual, enquanto eu lutava para encontrar um lugar para mim e para a minha família dentro de uma sociedade que era amplamente insensível à nossa situação. As crianças e eu amávamos Olaya profundamente, mas não podíamos mais contar com ela. Ela às vezes passava meses a fio longe de nós, então aprendemos a depender apenas de nós mesmos e uns dos outros. As crianças mais velhas tiveram que amadurecer mais rápido do que eu gostaria.

As coisas mudaram quando Javier, um amigo que fiz no País Basco, me ofereceu um emprego como guia de grupos em viagens organizadas para turistas nos Pirineus espanhóis. Eu já tinha ido para as montanhas com Javier antes, antes de o canionismo (*canyoneering*, em inglês, ou *barranquismo*, como eles chamam em espanhol) ser o esporte popular que é agora. Os cânions não eram preparados para a exploração turística naquela época, mas nós os explorávamos mesmo assim, e vimos coisas espetaculares. Eles são como museus vivos, museus pré-históricos. Você encontra monólitos estranhos, rochas e abismos por toda parte. Ali não existe tempo. Nem ideias. Existe apenas aquela magnífica energia silenciosa – um silêncio intenso –, que causava em mim uma impressão mística. Eu sabia, graças a essas experiências, que outras pessoas gostariam de explorar aqueles lugares, por isso arrisquei e aceitei o trabalho com Javier.

Nos intervalos entre as viagens aos cânions, eu tinha que encontrar diferentes maneiras de ganhar dinheiro, por isso comecei a trabalhar como jardineiro. O trabalho me agradava e eu o apreciava muito, mas logo voltei a atenção para um lado mais promissor do negócio. Eu ensinava as crianças a trepar em árvores com segurança nos jardins e logo fiquei conhecido, em Amsterdã, como o sujeito que fazia festas de aniversário com escalada de árvores. As crianças adoravam. Elas queriam escalar! Queriam sentir o que havia para sentir além do medo, como se divertir livremente e encontrar paz. Isso é o que eu via nos olhos delas após essas festas de aniversário. Elas ficavam sentadas calmamente em círculo, comendo sanduíches ou qualquer coisa que havia e com a mente tranquila. Cada uma delas.

Nossos filhos precisam trepar em árvores agora mais do que nunca. Eles precisam brincar de Tarzã. A árvore também é uma professora. Ela ensina quem trepa em seus galhos a superar o medo, dominar suas habilidades motoras e criar uma conexão mente-corpo. É um aprendizado instantâneo. Algo que elas não podem aprender com nenhum videogame. As crianças não sabem o que é; elas só sentem. E amam a sensação. A árvore está viva e, se a criança está num árvore quando está ventando, ela se sente mais viva com aquela árvore balançando de um lado para o outro. Ela sente uma conexão profunda, uma comunhão. É forte. As crianças têm que tomar cuidado e ser muito cautelosas, e isso faz que mergulhem fundo no próprio cérebro e no corpo. Elas se tornam muito sensíveis, alertas, sintonizadas com os arredores.

É isso que as crianças querem, não é? Não é isso que *todos* nós queremos? As crianças querem viver intensamente, experimentar tudo. Querem ser conduzidas pela curiosidade e pelo amor, não pelo medo. As crianças sabem que sentir é saber, então deixe as crianças brincarem em paz.

As escolas estão ensinando História, Matemática e Gramática aos nossos filhos, mas é hora de deixá-las aprender a cultivar a felicidade, a força e a saúde. Muitas delas vão crescer e imediatamente iniciar carreiras insatisfatórias, cheias de estresse. Elas vão ficar esgotadas. Muitas vão desenvolver doenças autoimunes e tudo porque estão muito estressadas. Com o quê? Não tem que ser assim. A natureza está dentro de nós, e está dentro dos nossos filhos. Felicidade, força e saúde – tudo isso nos pertence.

Brincar é a chave. Eu sou uma pessoa muito brincalhona e adoro brincar com meus filhos. Acho que às vezes eu gostava até mais de brincar do que eles; sabe o que quero dizer? Mas eu estava apenas tentando fazer o que podia para deixá-los felizes. Éramos apenas eu e os quatro, ninguém mais. A depressão da mãe deles aumentava cada vez mais. Nessa época, abri uma empresa de canionismo com Javier. Não era um grande negócio, mas suficiente para me sustentar, para pagar as contas. O método estava tomando forma. Levar pessoas pelos cânions e montanhas, onde muitas vezes havia água fria, ajudava a unir as duas coisas. Eu estava progredindo cada vez mais com a minha respiração. Tinha redescoberto meu ânimo de viver, mas a Olaya que eu conhecia não existia mais.

Ela vivia numa espiral descendente. Comprimidos e injeções, terapia, nada conseguia impedir sua queda na escuridão. Tentei ao máximo lhe dar meu apoio, porque era a mãe dos meus filhos, o amor da minha vida. Eu ainda a amava loucamente, mas não havia muito que eu pudesse fazer por ela. Ela era aterrorizada pela sua própria mente. Eu precisava ser forte pelos nossos filhos, para manter um ambiente o mais estável possível. E consegui. Na verdade, nós nos divertíamos. Tínhamos nosso pequeno ninho e o enchíamos de amor.

Olaya.

No verão de 1995, voltamos para a Espanha, porque eu estava liderando excursões para os cânions e queria meus filhos por perto, onde poderiam ficar sob os cuidados da família de Olaya. Eu me lembro, na estrada para a Espanha, de que estávamos dormindo sob as estrelas e ela veio até mim. Olaya queria fazer amor e ter outro bebê, mas eu disse: "Primeiro, se cure". Fomos para a Espanha, onde fomos recebidos pela família dela, e eu fui para as montanhas. Três semanas depois, eu estava trabalhando quando recebi um telefonema do irmão de Olaya me dizendo que ela tinha saltado do oitavo andar, depois de ter se despedido dos nossos filhos com um beijo, momentos antes.

Voltei diretamente para Pamplona e o pai dela me levou para vê-la. Eu vi o rosto da minha esposa e ele havia se libertado das sombras. A escuridão tinha se afastado. O demônio, o terror se fora. O que quer que tivesse se rompido dentro de seu cérebro se fora. Ela alcançou a paz e, apesar do meu coração partido, de certa forma eu também estava em paz. Senti a presença dela lá de cima, no plano etérico, e sabia que ela podia ver que eu estava indo bem com nossos filhos. O amor e a emoção ainda estavam lá – ainda estão até hoje –, bem preservados, fortes e vivos. Novas árvores cresceriam e floresceriam de onde ela tinha partido. Essas árvores teriam frutos e esses frutos nutriria nossas almas.

O pai de Olaya e eu choramos juntos. Nós a enterramos logo depois e eu voltei para as montanhas, para dar continuidade ao meu trabalho, porque eu tinha que sustentar meus filhos. Não havia tempo para me lamentar, para processar o luto. Em vez disso, busquei paz nos desfiladeiros e dentro de mim mesmo. Foi assim que procurei sobreviver à dor do meu coração partido. Voltando aos negócios. Você não pode se demorar na dor. Se tem quatro filhos, você apenas tem que estar ali, tem que estar presente e tem que seguir em frente.

Sabe o que me curou? A água fria. Ela me trouxe de volta à realidade. Em vez de ser guiado por minhas emoções despedaçadas para o estresse e a tristeza, a água fria me levou à quietude. Quietude mental. Isso deu ao meu coração partido a chance de descansar, se restaurar, se reabilitar. E foi assim que aconteceu. As crianças me fizeram sobreviver e a água fria me curou. Ou talvez fosse o contrário. Talvez a água fria tenha me feito sobreviver e meus filhos tenham me dado força para me curar. Eles me deram um propósito para viver e estar totalmente presente. Quando entra na água fria, você não está mais pensando nas contas, na sua próxima refeição, na sua bagagem emocional. Você não está mais preso aos seus pensamentos. Você está congelando e só pensa em sobreviver. Isso me trouxe a um lugar onde eu poderia me curar. Eu amava meus filhos profundamente e eles foram minha salvação.

Foi nessa época que compreendi os verdadeiros benefícios da água fria, das técnicas de respiração e da atitude mental positiva que eu estava empregando. Resolvi organizar um método com base nesses três itens, na esperança de que outras pessoas pudessem se beneficiar deles assim como eu. Os exercícios respiratórios são realmente simples e muito eficazes. Leva apenas alguns minutos para sentirmos seu poder. Eu estava preparando e transformando a minha bioquímica a partir de dentro e me sentia renovado toda vez que fazia os exercícios respiratórios. Eles aquietavam a minha mente e me enchiam de energia. Me levavam do ácido para alcalino e conduziam o meu corpo para um ambiente químico que eu podia induzir com o poder da mente, assim como a natureza pretendia. Simples e eficazes. Isso foi há 25 anos e o meu método evoluiu muito desde então, mas sua centelha original ainda está comigo. Como a memória da minha doce e querida Olaya, amor que carrego comigo aonde quer que eu vá.

CAPÍTULO 7
O MWH para a Saúde

No ano de 2018, treinei durante alguns dias um grupo de SEALs, o grupo de elite da Marinha dos Estados Unidos, na base naval de Pearl Harbor, no Havaí. No primeiro dia nos concentramos na exposição ao frio, em como lidar com o estresse e a privação de sono e como controlar os hormônios do estresse em geral. Os SEALs, como eu disse, são uma unidade militar de elite e já conhecem todas as técnicas para sobreviver e atuar em condições adversas, mas, como eles também são muitas vezes privados de sono e enfrentam altas doses de estresse, foi a isso que me ative. Eu queria ajudá-los a conhecer o próprio corpo, sua funcionalidade, e, por fim, a lhes dar mais controle sobre seu bem-estar físico, o que os ajudaria a manter um ótimo desempenho, independentemente das circunstâncias.

A imersão na água gelada é muito estressante para o corpo, é claro, mas aprender a fazer isso progressivamente, alterando a bioquímica por meio de exercícios respiratórios, ajuda a pessoa a se adaptar mais rápido e a diminuir o impacto desse estresse. Além disso, essa prática faz que ela passe a reagir ao frio de modo mais proativo, não reativo. Isso é o que eu ensino e, embora esses SEALs passem muito tempo na água e tenham a reputação de ser indiscutivelmente a mais forte e infatigável força de combate do mundo, muitos deles me procuraram para aprender meu método.

Achei isso incrível e me senti muito honrado por terem confiado em mim e no meu método. Mas, quando cheguei à base no segundo dia, fiquei em dúvida sobre o que mais eu poderia ensinar a eles. Tínhamos visto praticamente todo o conteúdo do método no primeiro dia e esses os homens tinham pouco tempo a perder, eu pensei. Ao entrar na base, pouco antes de chegar ao posto de controle, chequei meu celular e descobri que tinha recebido um e-mail de uma médica clínica geral. Vamos chamá-la de Jenny. Ela tinha escrito:

> Caro Wim,
> No ano passado, saltei de uma janela no terceiro andar porque não aguentava mais sentir tanta dor. Acordei no hospital e meu irmão estava lá. Quando estávamos conversando, ele me contou sobre você. Comecei a praticar o que você ensinava, os exercícios de respiração, os banhos de água fria e tudo mais. E agora sou grata por cada dia que estou viva.
>
> Eu te amo,
> Jenny, médica clínica geral

Foi nesse momento que percebi o que eu tinha para oferecer aos SEALs, no segundo dia de treinamento. Algo sempre aparece na hora H. Não entro nesses cursos preparado. Eu vivo o momento. Isso me dá uma ideia melhor da situação. Então reuni todos os homens sob a sombra de uma grande árvore e disse: "Pessoal, hoje vocês vão aprender como se tornarem um general dentro de si mesmos e acabar com a guerra interior. É aí que estão os verdadeiros terroristas, em sua mente, em seu corpo. Deixe-me mostrar como". Começamos fazendo a respiração e eles mergulharam fundo dentro de si mesmos e encontraram uma paz que nunca tinham sentido antes. O envolvimento completo com a respiração fez que eles ficassem mais conscientes de si mesmos e nesse momento a missão, o dever que carregavam, afastou-se da consciência imediata. Eles conseguiram fazer uma pausa nas pressões da vida de SEAL e mergulhar na quietude de uma serenidade arrebatadora.

"O que vocês pensam da vida?", perguntei. "Qual é o seu destino de cada um vocês?".

"Eu só quero proteger minha família, meus filhos pequenos, meus entes queridos", um deles disse em voz alta.

"Sim, é isso mesmo", eu disse. "Essa é a energia que trazemos ao mundo. Quando enfrentamos o verdadeiro terrorismo – doenças físicas e mentais –, podemos garantir felicidade, força e saúde para nós e para aqueles que amamos. Se está em sintonia com a sua verdadeira natureza, do ponto de vista mental e físico, e segue o seu coração, você se se dá conta da paz, da felicidade e do propósito que isso traz e passa a ser capaz de dar o seu melhor". O coração desses homens tinha sido aberto. A guerra fora vencida.

Tenho o privilégio de conhecer muitas pessoas do mundo inteiro e de todas as esferas da vida, graças à minha missão, que se tornou um movimento impressionante. Mas essa missão ainda está em curso – temos que mudar a nossa maneira de pensar desde as raízes. Agora que um número cada vez maior de cientistas está endossando e exaltando os benefícios do método, estou sendo recebido com menos ceticismo do que no passado (embora, naturalmente, alguns ainda se sintam relutantes em adotá-lo). Muitas pessoas que não conseguiam se curar com tratamentos médicos e remédios estão praticando o método e descobrindo que não precisam mais de medicação porque desbloquearam sua própria capacidade inata de lidar com o estresse e suas causas (seja uma bactéria, um vírus ou apenas a ansiedade do dia a dia, inerente à vida em um mundo complicado), e de administrar as próprias emoções, alterações de humor e incerteza sobre tudo. Agora você já deve ter uma boa ideia de como meu método faz isso e como ele é verdadeiramente transformador. Se você seguir estas técnicas do modo correto, se respirar e se expuser ao frio e, talvez o mais importante, se tiver confiança em sua própria capacidade, você também vai conseguir transcender o modo como todos nós fomos condicionados a pensar e se comportar, e conquistar a verdadeira força, saúde e felicidade.

Não nascemos pela metade, nascemos inteiros, e o caminho de volta para a nossa integridade é a força vital. Mas será que isso pode realmente ser tão simples? Consigo isso apenas respirando fundo? É isso? A resposta, meu amigo ou amiga, é sim. Você está respirando desde o momento em que nasceu, mas com que intenção? Com que propósito? Quando mudamos o paradigma e verdadeiramente encaramos a respiração como uma *inspiração*, como os dicionários procuram defini-la, nós nos abrimos para a possibilidade de mudança. É simples assim. É como eu disse no início: a respiração é uma porta.

Muitas pessoas que sofrem de doenças autoimunes e outras doenças debilitantes se beneficiaram muito com o método. A doença de Crohn é uma enfermidade terrível, que muitas vezes resulta na remoção cirúrgica dos intestinos, em colostomias e medicação até o fim da vida, incluindo, na maioria das vezes, esteroides, agressivos para o organismo.[1] A medicina convencional, com toda a sua sabedoria, não desenvolveu remédios alternativos eficazes para combater a doença de Crohn, além das soluções farmacológicas e, até certo ponto, o acompanhamento cuidadoso da dieta do paciente. Mas os praticantes do meu método descobriram que, quando começam a respirar, reduzem a inflamação associada à doença e, com ela, a necessidade de medicamentos. Essa afirmação não é nenhum exagero. Reduzir a inflamação no corpo é tão simples quanto respirar. Isso faz parte da capacidade inata do ser humano e não custa nem um centavo. Além disso, seus benefícios não se limitam às pessoas que sofrem da doença de Crohn.

O MWH E A COLITE ULCERATIVA

Um dos momentos mais marcantes da minha vida foi a descoberta do Método Wim Hof. Ele não só ajudou a curar completamente minha doença autoimune, como também me deu um senso de propósito e o desejo de contribuir para que milhares de outras pessoas também recuperassem o controle da própria vida e a reformulassem com força, saúde e significado. Em 2006, eu estava deprimido e empacado na vida, por isso não cuidava da minha saúde nem da minha alimentação. Eu não conseguia andar rápido e estava realmente baixo-astral. Meu cólon estava muito inflamado e eu sentia muitas dores. Estava passando muitas horas no banheiro, defecando sangue, e estava sem energia para nada.

Fui então diagnosticado com colite ulcerosa, uma doença autoimune também conhecida como doença inflamatória do intestino (DII), semelhante à doença de Crohn. Os médicos me disseram que eu teria que conviver com ela pelo resto da vida.

Durante anos, tentei de tudo, dieta e suplementos, esportes e exercícios, yoga e meditação. Reformulei minha vida e a minha rotina, abandonei hábitos e atividades prejudiciais, e, embora eu estivesse em remissão (sem sintomas) e sem medicação há mais de cinco anos, ainda tinha restrições no que eu podia comer, beber e fazer. Eu ainda tinha que viver dentro desses limites e ser muito cuidadoso... até descobrir o Método Wim Hof.

Quando comecei a seguir o curso online de dez semanas de Wim, encontrei um caminho de volta para o meu corpo e uma cura profunda aconteceu em questão de semanas. Me senti renovado e, como resultado, agora não tenho nenhum sintoma da colite ulcerosa. Ela se foi. O método me permitiu ultrapassar meus limites e definir outros. Agora como e bebo com total liberdade e voltei a praticar academia e esportes. Vivo uma vida de liberdade, que me permite viajar, trabalhar e viver meu sonho de impactar outras pessoas como instrutor qualificado do seu método. Eu nunca estive mais forte, saudável ou feliz. E nunca, nunca, fico doente.

RICHARD AYLING
BALI, INDONÉSIA

De acordo com os Centros de Controle de Doenças (CDC) dos Estados Unidos, 23 por cento dos adultos americanos – mais de 54 milhões de pessoas – receberam o diagnóstico de artrite, uma doença caracterizada por dores nas articulações. Outros quarenta milhões ou mais relataram sintomas consistentes com um diagnóstico de artrite. Entre os 54 milhões que foram diagnosticados, aproximadamente 24 milhões relatam que têm de limitar suas atividades como resultado da artrite. Isso é muito sofrimento.[2] Mas não tem que ser assim.

Embora a fisioterapia, a massagem e a acupuntura (além dos medicamentos) tenham ajudado as pessoas que sofrem de artrite a aliviar a dor e o desconforto em vários graus, a doença não é considerada curável. No entanto, como a doença de Crohn, essa é uma doença agravada pela inflamação.[3] É por isso que tantas pessoas com artrite tomam medicamentos anti-inflamatórios e, em casos graves, esteroides. Mas e se você pudesse reduzir drasticamente a inflamação nas articulações sem tomar nenhum medicamento? E se pudesse voltar a desfrutar das atividades físicas que adora sem ter que suportar a dor e o desconforto que associa a elas?

Henk van den Bergh é um ferreiro holandês que perdeu a mãe aos 56 anos devido a complicações decorrentes da artrite reumatoide. Perto dos 50 anos, ele me procurou, porque sua própria artrite reumatoide havia se tornado gravemente debilitante. Ele mal conseguia trabalhar na ferraria e corria o risco de precisar fazer uma cirurgia no cotovelo. Sentia muita dor e estava desesperado. Os medicamentos que seu reumatologista prescrevera não estavam surtindo efeito e ele havia chegado a um ponto em que mal conseguia andar. Um amigo disse a ele, "Procure Wim Hof" e, imaginando que não tinha nada a perder, foi isso o que ele fez.

Henk foi uma das cerca de quarenta pessoas que se inscreveram num dos meus cursos de dois dias, realizado numa cidade próxima a onde ele morava, em Blaricum. No jantar da primeira noite, sentei-me à mesa dele e conheci sua história. Ele me disse que odiava o frio e que seu corpo se encontrava em condições tão ruins que ele nem conseguia montar sua motocicleta. Duvidava que pudesse fazer uma única flexão, que diria vinte, e estava pensando em se aposentar, embora sua empresa, a ferraria da família van den Bergh, fosse centenária, remontando à década de 1830.

"Amanhã você vai fazer quarenta flexões", eu disse.

"Você é maluco?", ele exclamou.

"É, um pouco", eu disse. "Mas sou maluco pela vida". Olhei no fundo dos olhos dele. "Amanhã você vai fazer quarenta flexões", eu repeti, e ele percebeu que eu estava falando sério.

Na manhã seguinte, depois do café da manhã, chamei Henk de lado e o acompanhei no exercício de respiração. Ele estava cético e relutante, mas, sentindo a minha convicção, suponho, concordou em fazer o exercício. As pessoas começaram a se aglomerar ao nosso redor e Henk percebeu que já não podia voltar atrás. Ele estava convencido de que era loucura, pura loucura, mas resolveu dar o seu melhor. Ele se entregou à respiração – respirar fundo e soltar o ar, respirar fundo e soltar o ar – trinta, quarenta vezes.

"E agora, encha os pulmões", eu disse, enquanto demonstrava. "Solte todo o ar. Última vez: respire fundo, pare e agora pode começar! Faça as flexões!".

Foi então que Henk van den Bergh, um homem que sofria de uma artrite tão aguda que mal conseguia andar, se estendeu no chão e fez quarenta flexões como se não fosse nada. Quarenta flexões, você imagina isso? O olhar no rosto dele – seu total espanto –, eu nunca vou me esquecer. Era como se o homem tivesse visto a face de Deus. Anos de médicos e medicamentos bem-intencionados o levaram a uma queda em espiral, que o levara a pensar em deixar para trás a única vida que sempre conhecera, e ali estava ele fazendo quarenta flexões sem dor, após apenas vinte ou trinta minutos de respiração.

Foi um milagre e tanto, não foi? Ele só ficou sentado ali, sem conseguir acreditar. Mais tarde fomos todos tomar um banho gelado e, quando chegou a vez dele, ele entrou na água sem hesitação.

E agora, todas as manhãs durante o inverno, ele dá um mergulho nas águas frias de um lago da região, Gooimeer, na companhia de cerca de sessenta outros habitantes da cidade. Henk os convenceu dos poderes de cura da água fria e, claro, ele é uma prova viva desse poder. Agora é conhecido na região não apenas por administrar a ferraria da família, onde voltou a trabalhar em período integral, mas também por mostrar às pessoas os benefícios do banho frio. Ele criou a tradição de levar quatrocentas ou quinhentas pessoas a tomar um banho gelado no início do ano, algo semelhante aos eventos do Polar Bear Plunge [Mergulho do Urso Polar], que servem para arrecadar dinheiro para instituições beneficentes, nos Estados Unidos. E a artrite reumatoide? Apesar dos danos irreversíveis em suas articulações, a doença praticamente desapareceu. A reabilitação de Henk foi tão boa que, em 2014, ele participou da nossa expedição ao monte Kilimanjaro, o pico mais alto do continente africano. Surpreendente.

Henk não foi o único que conseguiu aliviar os sintomas de uma doença ou eliminá-los completamente praticando o método. Longe disso. Existem, literalmente, milhares de pessoas com uma ampla gama de problemas de saúde, desde diabetes até mal de Parkinson, que colheram grandes benefícios para sua saúde respirando e vencendo o frio. Recebemos milhares de depoimentos, alguns dos quais incluímos neste livro, de pessoas que são gratas ao Método Wim Hof por tê-las ajudado a controlar e, em muitos casos, erradicar sintomas debilitantes de várias doenças e ganhar um novo sopro de vida. Isso é notável e inspirador.

É importante que as pessoas confrontem a dor conscientemente, em especial quando sofrem de doenças destrutivas, em que parece que o próprio corpo se voltou contra elas. A água fria possibilita que elas se vejam como o capitão do navio novamente – abrindo-se para a dor, acolhendo-a, ressignificando o que é ter dor, optando por mudar, não por ser uma vítima. Como você acha que Henk se sentiu quando fez aquelas flexões? Aquele primeiro momento, quando ele percebeu o que tinha acabado de fazer, mudou sua história. Naquele momento ele tinha um futuro. Isso não é feitiçaria ou algum guru lhe dizendo para fazer alguma maluquice. Você, num instante, se torna sua própria inspiração. Você se abastece da sua própria capacidade recém-descoberta.

Bem, que tal darmos um passo adiante? No modo atual de pensar, achamos que é o remédio que nos cura. O MWH nos leva de volta à nossa responsabilidade, à nossa autoconsciência, muitas vezes causando uma mudança completa no nosso estilo de vida, pois tomamos o destino nas nossas próprias mãos. Todos nós podemos querer uma mudança de paradigma em nossa cultura, mas você é o único responsável por fazer isso. Comprometa-se com isso, dedique-se a isso, especialmente se tiver uma doença grave.

Eu conheci muitas pessoas que conseguiram evitar hospitalizações dispendiosas porque conseguiram reverter a doença a ponto de não precisar mais ser hospitalizadas. E se conseguirmos fazer com que as pessoas aceitem isso, precisaremos de muito menos hospitais. Algumas dessas instalações poderiam ser usadas como moradia para desabrigados ou como bibliotecas públicas, onde as comunidades podem aprofundar e enriquecer seus conhecimentos, em vez de perpetuar um ciclo de doença, cirurgia e dependência de soluções farmacológicas.

Reconhecemos que não somos médicos e não estamos sugerindo que o método possa ou deva substituí-los. A medicina ainda é uma profissão nobre e acredito que a maioria dos médicos escolha essa profissão pelo desejo de ajudar as pessoas. Mas todos os dias ouço histórias de pessoas que desafiaram o diagnóstico e as ordens médicas e, em vez disso, encontraram alívio para uma série de sintomas, condições e doenças, da asma à depressão, da esclerose múltipla ao câncer, em resultado da prática do método. E só isso já merece uma investigação mais aprofundada. O método é tão eficaz, natural e acessível que a falta de interesse geral demonstrada pelos médicos é muito intrigante para mim. Não sou adepto de teorias da conspiração e quero acreditar que todos os envolvidos têm as melhores intenções, mas talvez a razão pela qual alguns me rejeitaram é que o método representa uma ameaça à ordem existente. Colocar a saúde de volta nas mãos dos pacientes e fora das mãos de empresas farmacêuticas é, de certa forma, um ato revolucionário. Mas tem que haver uma solução melhor e eu acredito, de todo coração, que a encontrei. Esse método funciona, pessoal. É real. Tantas pessoas têm sido ajudadas que já nem posso contar. É gente demais. O paradigma está mudando para uma abordagem mais holística e natural aos cuidados de saúde, e os *workshops* que conduzimos, pouco a pouco, estão atraindo mais pessoas e estamos chegando às que estão prontas para ouvir. Isso me enche de gratidão. Quinhentas pessoas em Amsterdã, quatrocentas pessoas em Barcelona. Grandes multidões em Munique, Polônia, Melbourne, Sydney, Los Angeles. Estou indo para todos os lugares e espalhando a notícia agora, e aonde quer que eu vá, ouço novas histórias de como o método ajudou as pessoas a recuperar a saúde. Até meu jardineiro, o homem que cuida do WHM Center quando não estou aqui – e não estou com frequência aqui, porque viajo muito – encontrou alívio no método. Amo cuidar do meu jardim, mas não posso fazer isso o tempo todo, então contratei Bertwin Hooijer para cuidar dele para mim. Bertwin me procurou porque sofria de depressão e fortes dores nas costas, que o mantinham acordado à noite. Mas, depois de adotar o método, a depressão e as dores nas costas desapareceram. Além de cuidar do jardim, ele me ajuda com os retiros de dois dias que fazemos aqui na minha região, cuidando dos banhos gelados e das fogueiras, qualquer coisa que surge. Pessoas vêm do mundo todo para participar desses retiros e Bertwin vê essas pessoas transformando a própria vida profundamente, saindo de lá muito mais felizes do que dois dias antes. Esse tipo de felicidade é contagiante.

Stroe, onde moro atualmente, é a região mais católica da Holanda (e cristã em sua maior parte), mas não estou me referindo a Deus aqui, mas sim à divindade que cada um de nós carrega dentro de si. Não do tipo relacionado com sacerdotes, yogues e igrejas. Não, você é seu próprio templo, sua própria mesquita, sua própria sinagoga. Por isso tem que tratar bem seu corpo, se sentir bem dentro dele e ter certeza de que você está no comando, porque você quer se sentir bem, você quer se sentir divino. Quem não quer? Isso é o que eu disse a Bertwin e ele realmente levou a sério. Ele agora está ajudando as pessoas a usufruir dos benefícios do método, retribuindo o que recebeu, como ele diz. Ele ainda ajudou o vizinho, que dependia de medicação para amenizar uma artrite severa e que resistia a praticar o método. Mas essas drogas biológicas são caras – quase 3.000 dólares por mês por uma injeção. É uma grande indústria. E tudo se baseia na interleucina IL-6, que, como examinamos no Capítulo 5, é uma proteína inflamatória que, como demonstramos nos nossos experimentos com os drs. Pickkers e Kox, na Universidade de Radboud, temos a capacidade de suprimir.

Pouco tempo atrás, um médico polonês procurou informações sobre o nosso Módulo de Mestrado, que faz parte do nosso treinamento de instrutores. Ele estava na expectativa do seu retorno à Polônia para convencer seu professor a realizar um estudo. Se isso ocorresse, seriam sessenta sujeitos divididos em quatro grupos de quinze. Um grupo seria o controle, um grupo faria a exposição ao frio, um grupo faria a respiração apenas e um grupo faria a respiração e a exposição ao frio. Se esse estudo ou outro semelhante for concluído, saberemos se ele confirma a ideia de que o método efetivamente suprime o marcador inflamatório IL-6.

Imagine que tipo de impacto isso pode ter sobre a indústria farmacêutica e, paralelamente, sobre as companhias de seguros. Existem milhões de pessoas que sofrem de doenças autoimunes só na Holanda, onde a população total é de apenas dezessete milhões de pessoas. Quantos pode haver na Alemanha, onde a população é quase cinco vezes maior ou na Europa toda? Nos Estados Unidos, o Instituo Nacional de Saúde [National Institutes of Health (NIH)] estima que 23,5 milhões de pessoas sofrem de doenças autoimunes e há razão para acreditarmos que esse número está abaixo do número de casos reais.[4] E se a prática do método pode de fato ajudar pessoas com doenças autoimunes a suprimir a proteína IL-6 naturalmente, sem a necessidade de medicamentos e sem ter que pagar 3 mil dólares por mês, trilhões de dólares serão poupados em todo o mundo. Trilhões. A economia seria de quase 800 milhões anuais só nos Estados Unidos.

Pense no que se poderia fazer com esse dinheiro se ele fosse reinvestido para causas humanitárias e quantas pessoas poderíamos ajudar. Essas doenças são doenças da atualidade, doenças ocidentais, ligadas ao estresse e causadas por fatores ambientais, mas não temos que aceitá-las. Não temos que ir à falência para pagar por medicamentos de que não precisamos. Caramba, meu jardineiro está curando pessoas agora! O vizinho dele tinha artrite severa e agora quase não está tomando mais remédios. Ele não tem mais dor. Mas muitas outras pessoas ainda estão sofrendo desnecessariamente.

Eu sou um homem de sentimentos, cheio de entusiasmo. Cada dia me oferece uma chance para resolver os problemas do mundo, dos meus entes queridos – ou seja, todos os seres humanos – e dos seres vivos na natureza. Se nos sentimos bem, não é lógico que tenhamos o desejo de compartilhar esse sentimento com outras pessoas? Não é essa a coisa certa a fazer? Não estou falando sobre nenhum tipo de espiritualidade superficial. Não. Estou falando sobre a nossa responsabilidade uns com os outros. Os judeus tem um termo para isso, *tikun olam*. Ele significa que temos responsabilidade não apenas com relação ao nosso próprio bem-estar moral, espiritual e material, mas também com relação ao bem-estar da sociedade em geral. É como eu me sinto. É por isso que essas curas são tão significativas para mim.

O MWH E A ESCLEROSE MÚLTIPLA

Quando fui diagnosticado com esclerose múltipla (EM) em 2011, perdi o chão. Meu quarto filho ainda não tinha nem 1 ano e os sintomas afetaram minha mão e o meu braço, impedindo que eu continuasse exercendo a minha profissão de violinista. Meu neurologista me disse que eu não melhoraria e que teria que aprender a conviver com essa deficiência. Mas então a minha mãe me contou sobre Wim Hof.

Eu pensei, *Vale a pena tentar*.

Durante o *workshop*, já senti formigamento nos dedos durante os exercícios de respiração.

Então eles não estavam "mortos", afinal. Havia vida neles.

> Liguei para o meu marido na época e disse: "Aconteceu um milagre!".
>
> Daquele dia em diante, continuei a praticar o MWH e, num curto período de tempo, minha mão e meu braço recuperaram 99 por cento dos movimentos. O MWH me ensinou a escutar meu corpo, o que me torna poderosa. Hoje minha EM está sob controle; sou uma mãe ativa de cinco filhos, trabalho em tempo integral na Orquestra Filarmônica da Holanda, faço musculação e vivo a vida como eu gostaria de viver. O MWH fez de mim uma pessoa forte física e mentalmente.
>
> ANUSCHKA FRANKEN
AMSTERDÃ, HOLANDA

Apesar de todas as experiências de cura que as pessoas relatam, eu sei que ainda existem muitos céticos. É por isso que continuo defendendo meu método, participando de estudos e deixando que os cientistas me usem como uma espécie de cobaia humana. O resultado é que agora temos uma tonelada de dados para apoiar nossas afirmações. Não estou apenas mergulhado em suposições ou me deixando levar por elas. Não estou exagerando. Estabeleci uma base de dados verificados que vai sobreviver a mim, assim como minha missão. É maior do que eu. Nós todos temos um caminho para nos tornarmos felizes, fortes e saudáveis, e ele nos conduz à nossa alma. Sem a alma, somos apenas pedaços de carne, mas, com a alma, somos eternos e indestrutíveis. Qual é *sua* missão? Qual é a *sua* busca interior? Essa busca é, na verdade, por você mesmo, é explorar o terreno ainda desconhecido dentro de você. É por isso que os índios norte-americanos fazem cerimônias de busca da visão quando são jovens. Você agora pode ter mais idade, mas isso não é desculpa. A praticante de MWH mais idosa até agora, que mora nos Estados Unidos, é Frances Frederico. Aos 97 anos, ela aprendeu o método por meio de um programa credenciado que leva os benefícios do Método Wim Hof para idosos. No momento em que escrevo, ela ainda continua sua busca. Ainda está seguindo a luz.[5]

Deixe-me contar uma história. Tive a sorte de conhecer um certo homem através do meu trabalho. O nome dele é Frans van Beers e, como Bertwin, é jardineiro de profissão. Ele tinha 76 anos quando o conheci, mas parecia (e ainda parece) muito mais jovem. Ele está sempre com um ótimo estado de espírito. Esse homem me procurou um dia, dizendo que queria escalar o Kilimanjaro. Ele não tinha nenhuma experiência em montanhismo e sofria da doença de Lyme, mas estava muito determinado. Então concordei em deixá-lo participar da nossa expedição, a mesma em que estaria o jornalista investigativo Scott Carney, que narrou a experiência em seu livro *What Doesn't Kill*. Frans me impressionou muito com a sua natureza motivada. Ele sofria da doença de Lyme e não tinha nenhuma experiência em montanhismo, mas estava parado ali na minha frente com tanta força de espírito e coração... Não tive dúvidas de que seria capaz, porque era visível o quanto estava empolgado. E Frans chegou ao cume com o segundo grupo, em apenas trinta horas. Isso não era apenas inacreditável; era algo sem precedentes. Inspirador. Mas não é o fim da história.

Acontece que a experiência de Frans nessa excursão foi transformadora. Quando desceu da montanha, ele era um homem diferente. E agora está usando sua convicção, sua motivação e o poder de sua mente para curar outras pessoas que sofrem de Lyme. Ele está mostrando o que é possível. Frans as está levando para tomar banhos gelados e conduzindo-as nos exercícios de respiração, mas o mais importante é que ele está mostrando a elas o poder da crença. Ele se recusou a permitir que sua idade ou sua doença o definissem e está inspirando outras pessoas a fazerem o mesmo. Está retribuindo o que aprendeu e praticando, à sua maneira, *tikun olam*, para tornar este mundo melhor. Ele está ajudando mais pessoas com a doença de Lyme do que qualquer médico. E, dois anos depois, voltou e chegou ao topo do Kilimanjaro novamente, aos 78 anos.

Frances Frederico praticando uma forma adaptada de exposição ao frio, num vídeo do programa de treinamento para idosos.[6]

Pouco tempo atrás, vi uma fotografia de Frans no Facebook. Ele estava de pé, tomando um banho gelado, enquanto segurava duas grandes *kettlebells**. E ao lado da foto havia uma legenda que dizia: "Eu nunca vou me aposentar". Adorei. Ali estava um ho-

---
* Bolas de ferro com alça, usadas em treinos de musculação. (N. da T.)

mem de quase 80 anos de idade, mostrando a todos como viver a vida. Esse homem é uma inspiração, um verdadeiro guerreiro. Tenho orgulho de ser seu amigo.

Mas entre todas as pessoas que levei ao Kilimanjaro, talvez nenhuma seja tão impressionante ou inspiradora quanto Anna Chojnacka. Dois anos antes de chegar ao pico Uhuru, o ponto culminante do Kilimanjaro, um médico disse a ela para que se acostumasse com a ideia de que seria cadeirante dali a cinco anos, devido aos efeitos debilitantes e irreversíveis da esclerose múltipla (EM).[7] Anna era (e é) mãe de três crianças pequenas e simplesmente se recusou a aceitar esse diagnóstico. Ela me procurou, em desespero, como se eu fosse sua última esperança. Contou-me sua história e eu fiquei comovido. Eu disse: "Vou escalar o Kilimanjaro em alguns meses. Por que não vem comigo? Não perca a motivação". E ela *não* perdeu. Diga a qualquer mãe de três filhos que ela está prestes a se tornar uma cadeirante e você verá o verdadeiro significado da palavra "motivação". Não havia nenhuma dúvida na mente dela. Nenhuma hesitação. Ela iria vencer a doença não importava o que tivesse que fazer para conseguir essa proeza. Como Henk e Frans e muitos outros que empreenderam essas expedições comigo, ela não tinha experiência com exposição ao frio ou com montanhismo, mas nenhuma dessas coisas a dissuadiu. Subiu até o cume, em tempo recorde, valendo-se unicamente da sua força de vontade. Veja bem, aquela era a nossa segunda expedição ao Kilimanjaro, aquela que todos os cientistas e especialistas alpinos tinham reprovado, dizendo que era um ato irresponsável, que as pessoas iam morrer. Mas, claro, ninguém morreu. Alcançamos o cume em 44 horas. E Anna? Oito anos após seu diagnóstico de

EM, ela está correndo maratonas. Deu à luz seu quarto filho. E escreveu um livro de memórias sobre sua experiência na montanha intitulado *Kilimanjaro als Medicijn* [Kilimanjaro como Remédio]. Está mais feliz do que nunca. Não é esse o objetivo? Ter felicidade? Saúde? Isso é o que eu quero para você e para quem lê este livro; comece tomando banhos frios e respirando pela manhã. Sinta-se inspirado a superar seus próprios limites, a superar sua zona de conforto, tente algo novo como a médica Jenny. E Henk. E Bertwin. E Frans. E Anna. E milhares e milhares de outras pessoas cuja vida foi transformada por essas técnicas simples. Elas estão felizes. Estão saudáveis. Estão vivas e vibrantes e refletindo a própria alma. Então, por que não você? Pelo que mais você está procurando? As pessoas de hoje estão tão envolvidas no próprio ego, tão em busca de ganhos materiais ou *status* que perdem de vista quem realmente são. Você está vivo, cara! Sua alma está viva! Acorde! Você pode ser forte sem pensamentos, apenas existindo na quietude da mente, bem nutrida de força vital, de fluxo sanguíneo, porque seu cérebro pensante não está utilizando esses recursos. Respire. Enfrente o frio. Sinta-o. Siga a luz. Isso vai levá-lo de volta a você mesmo.

Você não precisa de validação exterior para experimentar o método. Você não precisa de nada, na verdade, exceto de amor. O amor vai restaurar a beleza da vida para a sua consciência e você a refletirá. Você vai irradiar amor e isso atrairá outras pessoas como um farol. É disso que essas histórias de cura se tratam. Seu fluxo sanguíneo, a força vital, a eletricidade, estão todos ali. Mas o que você vai fazer com eles? Esta é a única vida que você tem, então é hora de ir além do seu condicionamento. É hora de ir além do seu medo ou de qualquer outra coisa que o esteja impedindo de viver plenamente, porque é assim que a natureza pretendia que você vivesse. Seus medos são consequência de uma mente condicionada e eles nada mais são do que um fardo. Onde Henk estaria hoje se tivesse cedido a seus medos? Onde estaria Anna?

O método não é como tomar um comprimido. Você tem que ter dedicação e convicção, para se tornar seu próprio professor e guia. Ele faz que você conheça seu medo, em vez de se afastar dele. Assim que se sentir mais à vontade com essa autoridade recém-descoberta em si mesmo, você consegue ganhar impulso, e de repente você começa a querer se alimentar melhor, correr uma maratona, pois seus sonhos voltam a despertar.

Torne-se como uma criança novamente – curiosa, segura. Segure sua própria mão ao longo deste processo. Mantenha um diário, converse com seu parceiro sobre isso. O método também envolve conexão, empatia e construção de pontes entre nós.

As cartas e e-mails chegam todos os dias. "Obrigado, Wim Hof", eles dizem. "Obrigado pelo que você fez pela minha vida. Você a mudou completamente. Eu estava à beira do suicídio, mas agora estou feliz. Eu consegui! E estou contando sobre o método para todo mundo. Estou totalmente motivado e com sede de viver."

Isso é o que perdemos, a nossa sede de viver. Deixamos de perceber que somos belos, todos nós, e é isso que viemos fazer aqui. Estamos trazendo de volta a consciência da beleza da vida, conscientemente, para todas as pessoas, sem dogmas. Somos seres divinos e não precisamos de um conjunto de doutrinas para nos unir, para espalhar o amor entre nós, para nos ajudar a atingir a autorrealização e encontrar felicidade e saúde dentro de nós.

O que mais existe depois disso? Quando encontra a verdadeira felicidade, você não anseia por mais nada e não faz nada que o deixe infeliz. Não. *Você fica na felicidade*. Você se enrodilha e se aquece dentro dela. E a compartilha. É muito poderoso fazer o método em grupo. Em nossos eventos, vemos pessoas se conectando num nível muito básico, todas juntas, simplesmente vivendo o momento presente. Isso é poderoso! Existe um antigo ditado holandês que diz: "Quem compartilha a felicidade ganha felicidade em dobro e quem compartilha a tristeza divide a tristeza pela metade". Pode parecer piegas, mas é verdade. Para mim, fazer as pessoas se sentirem melhor é o verdadeiro propósito da minha vida. Não há nada que me preencha mais do que ver a melhora de qualquer ser humano. As histórias dessas pessoas são incríveis. E como posso retribuir? Não desistindo, seguindo em frente.

Eu sou um homem com uma missão e não vou falhar. Até eu morrer, vou mostrar a todas as pessoas do mundo que nascemos não só para sermos selvagens[*], mas para sermos felizes, fortes e saudáveis. Você nem precisa ser tão selvagem. O método funcionará para você mesmo se nunca tiver mergulhado no gelo, mesmo que a sua retenção de ar nunca tenha chegado a dois minutos, mesmo que sua ducha de água fria nunca tenha ficado abaixo dos 15 graus. Você pode fazer a prática de respiração básica sem nem mesmo sair da cama.

O controle que ganhei entrando em contato com a natureza e voltando é um controle que você também pode obter com o treinamento. Você pode sentir a verdadeira natureza do seu próprio ser,

---

[*] O autor faz uma referência bem-humorada à música *Born to Be Wild*, da banda norte-americana Steppenwolf. (N. da T.)

a natureza interior, a forma como a natureza pretendia que você fosse. Eu apresento isso aqui a você, neste livro, com essas técnicas que submeti ao escrutínio de pesquisadores e cientistas de todo o mundo. Está tudo aqui, assim como você e eu estamos aqui. Você sou eu e eu sou você. Nós somos a alma, a luz. Estamos limitados por sua energia, que é o amor. O amor é tão direto quanto uma flecha e eu não erro o alvo.

O MWH E O CÂNCER DE MAMA

Em 2015, fui diagnosticada com um câncer de mama metastático muito agressivo, que exigiu seis meses de quimioterapia, seis semanas de radioterapia e uma cirurgia para salvar as mamas. Em meio às sessões de quimioterapia, comecei a fazer os exercícios de respiração, o treinamento no frio e os exercícios de concentração que formam os pilares do Método Wim Hof. Quando fui à consulta seguinte com o meu oncologista, ele olhou para mim com espanto depois de analisar meus exames de sangue, porque meus glóbulos brancos tinham triplicado em uma semana! Naturalmente, continuei com o Método Wim Hof e acabei me sentindo menos cansada e com mais energia do que durante todo o ano anterior. Então decidi que queria compartilhar com outras pessoas o que tinha aprendido e vivenciado com o MWH, por isso, um ano depois, me tornei uma instrutoras certificada do Método Wim Hof. Agora faço *workshops* duas vezes por mês na minha cidade natal, Ibiza, onde moro em remissão do meu câncer. Sinto muita alegria em compartilhar minha felicidade com os outras pessoas e vê-las se beneficiar com o método também! Eu sou realmente abençoada.

SUZANNE BOERSMA
IBIZA, ESPANHA

CAPÍTULO 8
O MWH para o Desempenho

Um dos maiores benefícios de se praticar o método é o efeito incrível que ele tem sobre o desempenho atlético das pessoas. Atletas de elite do mundo todo – profissionais, atletas olímpicos – sempre me procuram para treiná-los no método. Esses atletas supostamente representam o que significa estar no auge do desempenho esportivo, mas, por incrível que pareça, isso não é bem verdade. Eles me procuram buscando algo mais – algo que possa dar a eles uma vantagem competitiva sem terem de recorrer a drogas ilegais perigosas. E não importa o alto nível do seu condicionamento físico, eu mostro como podem ser melhores e fazer isso naturalmente. Porque, mesmo que eles pareçam ter alcançado o auge do desempenho, ainda é possível melhorar seus níveis de energia, resistência, foco mental, tempo de recuperação e, em resultado, seu desempenho atlético em geral. E eles podem fazer isso mudando sua bioquímica.

Nas células de todas as formas de vida há uma substância química chamada trifosfato de adenosina (ATP, na sigla em inglês), que fornece energia para muitos processos biológicos, incluindo, em seres humanos, a contração muscular. As moléculas de ATP existem em células que estão em um estado anaeróbico, sem a presença de oxigênio, mas elas se multiplicam exponencialmente nas células que estão em um estado aeróbio, na presença de oxigênio.[1] Quanto mais moléculas de ATP, mais energia. E essa energia é útil não apenas para melhorar o desempenho atlético, mas também para proporcionar mais plasticidade muscular, que se relaciona à capacidade de um músculo de alterar suas propriedades estruturais e funcionais de acordo com as mudanças nas condições ambientais. No caso dos atletas, a plasticidade se refere especificamente à capacidade do músculo de se recuperar do estresse. Os atletas gastam tanta energia simplesmente mantendo seu corpo na excelente forma física em que já estão (ou muito perto disso), que muitas vezes não têm a energia extra necessária para reparar seu corpo, reabilitá-lo e entrar nesse modo de plasticidade.[2]

O processo de criar mais moléculas de ATP e, assim, gerar mais energia, requer a dissimilação aeróbica, na qual o oxigênio influencia o processo mitocondrial físico, quebrando o ácido lático que se acumula nos músculos durante o exercício.[3]

Como um atleta, seja de elite ou recreacional, pode alcançar esse estado? Respirando. Aconselho os atletas que consulto a respirarem mais do que sentem ser necessário e pensar nisso como um mantra. Quando respira mais do que sente que precisa, você consegue superar seu condicionamento, independentemente do seu VO_2 max, que é a medida do seu consumo máximo de oxigênio durante o exercício. E, quando somos capazes de superar nosso condicionamento, também desenvolvemos a capacidade de superar situações estressantes e nossas limitações físicas. Você não precisa ser um atleta de elite para fazer isso. Você não precisa ser nenhum tipo de atleta, na verdade. Tudo o que precisa fazer é a respiração consciente que aprendeu no Capítulo 4. A dissimilação aeróbica cria cerca de trinta vezes mais moléculas de ATP do que as criadas quando não há oxigênio. Apenas respire e sinta a diferença.

Que tipo de monstro você quer se tornar? Um supermonstro como o Incrível Hulk? Esses filmes e histórias em quadrinhos exploram fantasias que se baseiam em realidades não explicadas (ou inexplicáveis). Imagine a mãe que levanta o carro para salvar um filho preso entre as ferragens. Ela não é atleta, muito menos um super-herói, mas é capaz de invocar o poder de levantar milhares de quilos num instante. Esse é um fenômeno conhecido como força histérica e muitas vezes é atribuído a um aumento na produção de adrenalina, embora haja poucas evidências para apoiar isso. O que sabemos, no entanto, é que essas pessoas de alguma forma encontram força dentro de si para realizar façanhas físicas aparentemente milagrosas. O que não sabemos é como acessar essa energia. Até agora.

Eu encontrei uma maneira e ela vem da natureza. Vem de dentro de você. Está batendo na sua porta agora.

A respiração combinada com o poder da mente pode aumentar significativamente a quantidade de moléculas de ATP e a adrenalina em suas células. Quanto você precisa? Quanto acha que precisa? Que nível de desempenho deixará você satisfeito? Eu não estou sugerindo que você faça a respiração e depois saia levantando carros na rua. O atletismo competitivo se tornou um pouco radical demais, eu acho. Isso está deixando as pessoas malucas. Também está causando lesões, esgotamento físico e depressão. Conheço medalhistas de ouro que ficaram muito deprimidos depois que suas carreiras olímpicas acabaram, porque eles não tinham mais aquela válvula de escape competitiva para impulsioná-los. Mas qual é o sentido de ganhar uma medalha de ouro se isso não o deixa feliz?

Esse é um sintoma de um problema social que não tem nada a ver com a expressão da nossa verdadeira natureza, da nossa alma. Essa busca por validação externa, essa necessidade de ser "o melhor", é, na realidade, uma busca sem sentido. Ser o melhor e ser *o melhor que você pode ser* são coisas muito diferentes. Mas você pode se tornar a melhor versão de si mesmo quando conseguir desenvolver a capacidade de regular sua própria bioquímica, sua própria energia, e canalizá-la da maneira que achar melhor. Quanta energia você quer? Se aprender a usar sua mente junto com a respiração, você poderá aumentá-la exponencialmente. O que você vai fazer com ela depois disso é com você, mas as possibilidades são infinitas.

O MWH E O FUTEBOL PROFISSIONAL

Diga adeus à ansiedade do desempenho e ao nervosismo dos dias de jogo. O Método Wim Hof usa a capacidade do seu próprio corpo para recalibrar e redirecionar sua energia, de modo que você possa alcançar seu melhor desempenho.

Em janeiro de 2020, eu me juntei a Wim Hof e a uma série de outros escritores e influenciadores para uma de suas expedições na Polônia. Eu já pratico a exposição ao frio, então a parte da respiração era o que mais me interessava. Foi uma experiência que mudou minha vida. Agora faço a respiração básica de Wim Hof toda manhã, usando o aplicativo gratuito. Tudo o que você precisa fazer é se deitar na cama e deixar Wim guiar você. Ao final de dezessete minutos, a sua mente está recalibrada, seu cérebro terá passado por uma mudança química, graças à técnica de respiração.

Depois da terceira rodada de exercícios, eu me sinto muito bem, como se tivesse deixado meu cérebro pronto para enfrentar o dia. Desde a expedição, meu sono melhorou muito, minha recuperação é excelente e, como meu corpo está hipersaturado de oxigênio, eu demoro para sentir fadiga quando estou treinando. Acho que essa técnica tem uma utilidade incrível para atletas profissionais. *Quarterbacks, kickers*, *punters*, atletas que jogam em posições muito focadas e intensivas no futebol americano, imagine como seriam mais eficazes se usassem esse protocolo de respiração e estivessem no controle da frequência cardíaca e do seu desempenho durante as partidas.

Eu não quero apenas cuidar do meu corpo. Não quero apenas viver por mais tempo. Quero ser capaz de extrair do meu corpo mais do que qualquer outra pessoa jamais conseguiu. Mas o método nem é sobre isso. Trata-se simplesmente de poder acessar mais dos dons que Deus nos deu, de nos ajudar a usar uma ferramenta que nos ajude a nos tornar o nosso eu superior. Acho que suplementos e exercícios são incríveis, mas não conheço nada mais incrível do que fazer esse trabalho de respiração logo pela manhã.

STEVE WEATHERFORD
CAMPEÃO DO SUPER BOWL, VETERANO DA NFL,
EMPREENDEDOR, MARIDO E PAI AMOROSO DE CINCO FILHOS

Outro benefício da energia intensificada que o método propicia é uma capacidade maior de combater doenças. Quando as pessoas estão doentes ou sofrem de alguma doença crônica, o mero ato de sobreviver consome toda a energia que elas têm. Elas não têm meios para criar mais moléculas de ATP para o reparo, a reabilitação ou a plasticidade da mente e do corpo. É por isso que temos que introduzir essas técnicas de respiração consciente e de atenção plena nos protocolos dos tratamentos de saúde do mundo todo. Isso vai aumentar e acelerar a capacidade dos pacientes de reparar o próprio corpo e eles se sentirão muito melhor do que se estivessem apenas consumindo produtos farmacêuticos. A dissimilação aeróbica é totalmente natural, segura e eficaz. Ela é feita pela mente e pela respiração, e, quando une as duas, você é capaz de gerar mais energia para o reparo e a reabilitação do seu corpo, o que, por sua vez, fará você se sentir melhor. É incrível como isso é simples.

É claro que precisamos continuar investigando tudo isso por meio da ciência, porque, embora o que afirmo aqui já tenha sido comprovado por mim e por milhares de outras pessoas, a aceitação dessas verdades ainda não foi difundida pela medicina convencional. Mas isso não é nenhuma novidade para mim e é uma das razões pelas quais decidi escrever este livro. Sou muito grato ao meu editor por me dar este meio de divulgação, porque ele é poderoso. Estamos mudando vidas e iluminando um caminho para a saúde e a cura, enquanto esperamos que a comunidade científica, que às vezes pode ser lenta como uma tartaruga, nos alcance. Mas este método funciona, e há dados que comprovam isso.

O psicoterapeuta vienense Wilfried Ehrmann, que é terapeuta respiratório e autor do livro *The Manual of Breath Therapy,* escreveu em um artigo de 2015, "Com mais respiração, simplesmente há mais ATP, enquanto a produção de ácido láctico é reduzida, mantendo o corpo num estado alcalino. Ao mesmo tempo, com a respiração mais profunda, mais CO_2 é exalado e o nível de pH do sangue se torna mais alcalino e, portanto, possibilita mais dissimilação aeróbica".[4]

Quando ocorre mais dissimilação aeróbica, o nível de energia aumenta e é aqui que, mais uma vez, a mente entra na equação. Lembre-se de que fui capaz de resistir ao estresse de uma endotoxina simplesmente com o poder da mente. Depois de me expor tantas vezes ao frio, os caminhos neurológicos do meu cérebro foram se consolidando e se mantendo assim. Nem eu mesmo sabia disso até ser testado no laboratório de Radboud, mas agora sou capaz de defender essa teoria com credibilidade, porque a ciência a apoia. Conseguimos. A mente, junto com a respiração, pode aumentar seus níveis de energia muito mais do que você jamais imaginou ser possível.

PROTOCOLO MWH: RESPIRAÇÃO TURBINADA PARA AUMENTAR A RESISTÊNCIA

Este exercício é uma adaptação do Exercício Básico de Respiração para melhorar o desempenho atlético. Você pode retardar a privação de oxigênio no tecido muscular, adiando assim o ponto de acidificação láctica, que leva à fadiga e ao baixo desempenho. O exercício de respiração causa uma liberação de adrenalina e glicose que seu corpo pode absorver imediatamente e alcançar melhor desempenho.

> Antes de começar um exercício de resistência, como uma corrida de longa distância ou um percurso de bicicleta, faça três a quatro rodadas da respiração turbinada [*power breathing*, em inglês]:
>
> 1 Respire fundo e relaxe, soltando o ar, por sessenta vezes.
>
> 2 Na última respiração, encha os pulmões e segure a respiração por pelo menos quinze segundos (ou enquanto for confortável), contraindo todo o seu corpo em direção à cabeça, tensionando o assoalho pélvico e permitindo que a sensação de pressão suba pela coluna e chegue ao topo da cabeça.
>
> 3 Relaxe para soltar o ar e comece uma nova rodada.
>
> 4 Comece cada nova rodada com seu ritmo respiratório MWH regular e, em seguida, aumente a velocidade e a intensidade da respiração à medida que a rodada prossegue. Esse aumento da velocidade é o que torna a respiração turbinada.
>
> 5 Espere alguns minutos para se aterrar novamente e, em seguida, comece seu exercício de resistência.
>
> 6 Respire mais do que você acha necessário e fique atento à sua respiração durante o exercício de resistência.

Você tem toda a energia de que precisa para fazer qualquer coisa, para superar qualquer obstáculo ou doença em seu corpo, em sua vida, em seu caminho ou em seu destino. A natureza nos deu essa capacidade. Trifosfato de adenosina, dissimilação aeróbica, processos mitocondriais, o ciclo do ácido cítrico – não importa o nome que você dê, apenas tome posse da sua energia. Você tem muito mais do que jamais vai precisar. Quanto você quer? Eu digo aos atletas que aconselho respirar mais do que eles acham necessário. E você sabe o que eles me dizem? "Depois de uma semana fazendo a respiração, após anos no que eu acreditava ser o limite do meu desempenho, de repente a minha energia aumentou em 10, 15 por cento ou mais". É por isso que eu sempre digo, "Respire, caramba!". Apenas respire e você verá resultados surpreendentes.

O estudo da Universidade de Radboud provou, pela primeira vez, que somos capazes de influenciar conscientemente os processos mitocondriais do nosso sistema linfático. Os cientistas desenvolveram uma maneira de mensurá-los com um laser, mas não sabiam como influenciá-los de acordo com a vontade, como fazer isso fisicamente. E pelo fato de nossa respiração consciente acelerar os processos mitocondriais e, portanto, nossos níveis de energia no sistema linfático, somos capazes de livrar nosso corpo de toxinas e outros detritos com mais rapidez e eficiência. Além de se encarregar da circulação da linfa, que devolve proteínas e gorduras para a corrente sanguínea no corpo todo, o sistema linfático também funciona como uma espécie de gerenciamento da liberação de resíduos num nível celular. Mas como não podíamos influenciar esse sistema, não éramos capazes de ativar esses processos mitocondriais e gerar mais energia para liberar o lixo – as toxinas – que se acumulavam em nossas células. E agora, através da respiração consciente e da dissimilação aeróbica que ela possibilita, nós somos capazes disso. Portanto, além de beneficiar o nosso desempenho e permitir essa restauração do organismo, a respiração também ajuda a limpar o corpo de substâncias nocivas. É uma trindade.

Alistair Overeem, "o Demolidor", lutador holandês de MMA, é um dos atletas de elite que estão se beneficiando dessa trindade. Um dos dois únicos detentores de títulos mundiais no

MMA e no K-1 Kickboxing ao mesmo tempo, Overeem luta profissionalmente desde 1999. Agora, com 40 anos, ele atingiu uma idade em que a maioria dos lutadores se aposenta, mas Overeem não mostra sinais de que pretende diminuir o ritmo agora. No momento em que escrevo este livro, ele é um peso-pesado classificado em sexto lugar no Ultimate Fighting Championship (UFC), e atribui ao Método Wim Hof a melhora do seu condicionamento.[5]

A superestrela dos campeonatos da UFC, Alistair Overeem, atribui a melhora do seu condicionamento físico ao Método Wim Hof.

Em 2015, quando Overeem lutou contra o brasileiro Júnior dos Santos, na época campeão dos pesos-pesados do UFC, ele enfrentou o nervosismo que sempre antecede uma luta com os exercícios de respiração que vinha praticando diariamente, após começar a treinar comigo no início daquele mesmo ano. Isso o ajudou a manter a calma e se concentrar na tarefa que tinha em mãos, uma luta contra um formidável oponente, um nocauteador que até o momento já tinha ganhado dezessete lutas e perdido apenas três. Mas aquela noite Alistair entrou no ringue em Orlando, na Flórida, e se saiu muito bem, vencendo Júnior dos Santos com um nocaute técnico no final do segundo *round*. E, embora uma luta de pesos-pesados dessa magnitude seja algo extremamente desgastante, ele relatou depois que nem ficou cansado. Seu cardio tinha melhorado significativamente em resultado do nosso treinamento. Mas o aumento da capacidade aeróbica não é o único benefício do método que ofereço aos atletas. Ele também os ajuda na recuperação mais rápida. Depois de cada treino, seja cardio ou de musculação (ou, no caso de Overeem, uma luta de boxe), o corpo do atleta precisa de um tempo para se recuperar.

O tecido muscular é danificado e os estoques de energia são esgotados durante o exercício e, por isso, o corpo precisa de descanso. Atletas que praticam o método relatam um sono melhor, inflamação reduzida e um tempo de recuperação menor. Mostramos, pouco tempo atrás, em um estudo publicado enquanto escrevo este livro, que a respiração ativa o Ciclo de Cori, reciclando o ácido láctico, via piruvato, em nova glicose.[6] Isso se traduz em mais energia! Essa é uma prática mais eficiente. Portanto, não é de admirar que Alistair Overeem acredite que este método pode "mudar o mundo".

Mas você não precisa ser um atleta de elite para obter esses mesmos benefícios. Se pessoas que sofrem de doenças como esclerose múltipla, artrite reumatoide e câncer podem chegar ao cume do monte Kilimanjaro, imagine o que o método pode fazer pelos corredores casuais, jogadores de futebol que jogam só de fim de semana e jogadores de basquete amadores. Se o seu objetivo é correr, digamos, um quilômetro em seis minutos, o que para um homem na casa dos 50 anos é um sinal de condicionamento físico moderado, então certamente um aumento em sua capacidade aeróbica pode ajudá-lo a conseguir isso.[7] O mesmo vale para o jogador de futebol de fim de semana. Se o seu nível de aptidão cardiovascular o está impedindo de percorrer toda a extensão do campo ou quadra sem perder o fôlego, tente imaginar o que você pode ser capaz de fazer com maiores quantidades de oxigênio. Não estou sugerindo que você se transforme de repente num jogador de futebol como Lionel Messi ou num astro do basquete como LeBron James, mas você vai ver uma melhora acentuada em sua resistência e, portanto, vai se divertir muito mais no jogo. Esse prazer em jogar só aumentará quando você descobrir, mais tarde, que as dores e a fadiga que geralmente sente depois de um esforço atlético extenuante também se reduziram.

EXPERIMENTO nº 3 DO MÉTODO WIM HOF

O MWH MELHORA O SEU DESEMPENHO ATLÉTICO?

Para demonstrar o poder da técnica, vamos fazer algumas flexões. Primeiro faça o máximo de flexões que puder para definir seus limites. A maioria de nós só conseque fazer dez ou vinte antes de ficar muito fatigado. Agora faça uma única rodada do exercício básico de respiração, expire completamente e tente fazer as flexões novamente durante a fase de retenção, com a respiração suspensa na expiração. Se você sentir que pode, continue fazendo as flexões depois de prender o ar, na respiração de recuperação. Você pode ficar surpreso ao constatar que de repente consegue fazer duas, três ou quatro vezes mais flexões do que antes.

O dr. Mehmet Oz não é um atleta de elite, mas sim um cirurgião de 60 anos que se tornou um popular apresentador de *talk show*, com um condicionamento físico razoável para um homem da sua idade. Ainda assim, quando Scott Carney visitou o programa do dr. Oz para promover seu livro sobre o método e acompanhou o apresentador (e duas pessoas do público) num exercício de respiração, o dr. Oz chocou seus espectadores e a si mesmo ao fazer quase quarenta flexões.

"Que interessante!", diz ele na transmissão. "Eu nem me sinto cansado. Poderia até continuar. E essa não é a quantidade de flexões que eu costumo fazer normalmente. É muito mais do que o normal! Esse exercício é *incrivelmente* eficaz! E o meu batimento cardíaco nem acelerou".[8]

Se alguém como o dr. Oz, que não é atleta, pode fazer quarenta flexões depois de fazer apenas uma única rodada de exercícios de respiração do Método Wim Hof, pense no que você pode ser capaz depois de praticar várias rodadas, após um período prolongado de prática consistente. Flexões são apenas o começo e a sua imaginação é o limite. O que você gostaria de fazer?

Tenho 61 anos agora, mas me sinto muito mais jovem. Estou tão em forma quanto alguns homens com metade da minha idade. O que é a idade, afinal? Me sinto jovem porque *sou* jovem. O espírito e a alma são eternos e existem fora do tempo. Eles não conhecem limitações. Então eu prossigo. Eu avanço. Ainda faço meu banho gelado todos os dias, porque adoro. Ele me trouxe a uma profunda compreensão de mim mesmo e do meu lugar no universo, da natureza, e sou grato por isso. O banho gelado tem sido especialmente útil neste últimos tempos, pois tenho feito um certo tipo de treinamento muscular para ver se sou capaz de desacidificar minha bioquímica ainda mais e me tornar ainda mais alcalino, o que me permitirá ir mais longe dentro de mim mesmo e além, alcançando um estado bioquímico em que não há ácido nenhum, nenhuma acidez. Como eu faço isso? Com a mente. Configurei minha mente de modo que sua neurologia tenha uma influência direta sobre o meu desempenho físico.

Por exemplo, para fazer exercícios, faço alongamentos com uma faixa elástica. Coloco a faixa sobre uma porta e então eu a puxo para baixo. Eu costumava conseguir fazer cerca de 50 repetições antes de ficar cansado, mas agora posso fazer 160 sem fatigar os meus músculos. Apesar desses ganhos, meus músculos não estão aumentando de tamanho. Esse não é o objetivo do exercício, de qualquer maneira. Não. Estou influenciando o estado ácido do meu tecido muscular – aumentando meu limiar lático – com o poder da minha mente, juntamente com a respiração, para estender a força do músculo. Você não precisa de músculos superdesenvolvidos para gerar energia. Maior nem sempre é melhor e, na verdade, às vezes é pior. Observe o corpo dos atletas de esportes de resistência, como ciclistas e corredores de longa distância. Seus músculos são enxutos, mas capazes de gerar um poder imenso. O ácido lático se acumula em nossos músculos durante o exercício intenso, causando fadiga, dor e, por fim, falência. Atletas de elite têm limiares láticos mais altos do que a média, e aqueles que praticam meu método podem alcançar resultados semelhantes, com ou sem o benefício de uma genética superior.

O MWH E O DESEMPENHO SEXUAL

O desempenho atlético não é o único tipo de desempenho beneficiado pela prática do método. Se ele consegue fazer com que um homem faça quarenta flexões depois de apenas uma rodada, imagine o que pode fazer por ele entre os lençóis. Jelle Steenbeek, criador do programa Lionwood, é um instrutor de MWH que descobriu que praticar a respiração MWH com sua parceira sexual melhora a experiência de ambos.

Desde que comecei a ensinar o Método Wim Hof, eu o utilizo para melhorar todos os aspectos da vida diária. Um dos meus favoritos é usar a respiração para melhorar a experiência sexual. Descobri que o estado de espírito que ele evoca, em combinação com a energia extra gerada em suas células pela resistência mais longa e a ativação de poderes primitivos do nosso cérebro reptiliano pode provocar orgasmos intensos.

Abraço minha esposa por trás enquanto me sento atrás dela, recostado em alguns travesseiros e fazemos três ou quatro ciclos de respiração, o que requer que estejamos ambos no mesmo ritmo. Descobri que essa é uma maneira única e terna de me sintonizar com a minha parceira.

A prática do MWH também treina meu músculo perineal cada vez que eu "espremo o ar", na segunda retenção de um ciclo respiratório. Esse é um dos músculos mais importantes para uma boa vida sexual, tanto para homens como para mulheres.

Outra coisa que a respiração me ajudou a fazer é desacelerar o desejo e dar à minha parceira mais tempo. Como homem, se você se excita e continua acelerando, é muito provavelmente que não contenha o orgasmo se for além de 80 por cento da excitação. Se você parar cada vez que estiver quase lá e não ultrapassar o limite, conseguirá chegar a estados orgásticos muito mais elevados. Em cada "platô", você deve parar em 80 por cento, fazer a respiração e recomeçar. Você não começa de novo do zero; você tem um patamar mais alto de onde se lançar, o que o faz subir cada vez mais. Além disso, mais sentimento sobre o seu corpo equivale a mais controle sobre o seu equipamento.

> E eu nem comecei a falar dos banhos gelados para se ter um sexo melhor e filhos batizados com o nome de Wim!
>
> JELLE STEENBEEK
> BELGISCH PARK, HOLANDA

A alimentação tem um papel importante em nosso desempenho físico, é claro, mas não é tudo. Pouco tempo atrás, num retiro em meu campo de treinamento na Polônia, alguém me disse: "Vejo que de vez em quando você bebe alguma coisa". "Tipo uma cerveja?", perguntei. "Não sou puritano, rapaz. Uma cervejinha de vez em quando é uma maravilha. Eu gosto. Não muito, mas com moderação, tomo sim. Cerveja é uma delícia". Estou comprometido com a minha missão, mas não sou um modelo de virtude. Não estou aqui para ser um exemplo para você, mas para ser o mestre de mim mesmo. Que *esse* seja o exemplo para as pessoas imitarem. Só passamos por esta vida uma vez e podemos muito bem aproveitar um pouco enquanto estamos vivendo. Aqueles que querem se privar de prazeres simples, como uma cerveja ocasional, podem se beneficiar disso em termos de desempenho em curto prazo, mas não estão nutrindo a alma.

Eu disse ao cara: "Quer saber? Vou tentar conquistar um novo recorde mundial agora. Sem treinamento ou qualquer preparação avançada, vou ficar descalço na neve durante três horas na posição do cavalo. Vou mostrar a você como controlar o que se torna ácido para que não se torne ácido, de modo que eu possa continuar sem me cansar. Mas antes de fazer isso, quero uma cerveja".

Eu não sei se você conhece a postura do cavalo, que é um postura importante nas artes marciais, mas preciso dizer que é bem difícil mantê-la por muito tempo. Por alguns minutos já é um desafio, imagine por três horas. O ácido lático se acumula muito rápido nos músculos, principalmente no quadríceps, e a fadiga e a dor são fortes. Manter a postura do cavalo durante três horas requer muito mais do que a habilidade de resistir à dor e suportá-la. Requer controle sobre a bioquímica no interior dos músculos. Essa é a verdadeira proeza. Trata-se de desintoxicar o músculo que está ativamente envolvido num esforço intoxicante.

Usando minha respiração e lançando mão do poder da minha mente, eu bati o recorde.[9] E, depois, apenas para provar meu argumento, eu disse: "Agora quero outra cerveja". E a bebi.

EXPERIMENTO nº 4 DO MÉTODO WIM HOF

POR QUANTO TEMPO VOCÊ CONSEGUE MANTER A POSTURA DO CAVALO?

Por quanto tempo você consegue manter a postura do cavalo, com ou sem cerveja? Vamos descobrir!

Para ficar na postura do cavalo, fique em pé, em seguida afaste os pés cerca de uma vez e meia a largura dos seus ombros. Certifique-se de que seus pés estejam voltados para a frente, sua coluna, reta e a postura, ereta e alinhada. Agora dobre os joelhos num agachamento, baixando a parte superior do corpo como se estivesse montando um cavalo. Mantenha os joelhos alinhados com os dedos dos pés. Coloque as mãos nos quadris. E mantenha essa posição.

Respirar fundo vai ajudar, pois diminui o acúmulo de ácido láctico nos músculos, o que leva à fadiga e ao esgotamento. Respire primeiro regularmente e veja por quanto tempo você consegue manter a postura. Depois, pela segunda vez, respire profunda e uniformemente e veja a diferença que isso faz. Eu também gosto de adicionar movimentos de braço e sons – empurrando a mão direita para longe do meu corpo para o lado esquerdo, depois mudando o movimento, empurrando com a mão esquerda para o lado direito, fazendo o som "Hoo-Hah" enquanto respiro. Em nossos retiros MWH, costumamos usar esse exercício para nos manter aquecidos depois de entrar na água fria. Com a energia do grupo para carregá-las, as pessoas conseguem manter a postura facilmente por trinta minutos.

O bom desempenho resulta da sensação de que você tem toda a energia de que precisa para atingir seu objetivo. Para isso você precisa dormir bem, passar por menos estresse, comer o que o deixa mais saudável, mas também precisa da bioquímica certa, da respiração certa. Você precisa dar ao seu corpo as ferramentas certas para se recuperar, caso contrário, pode facilmente se colocar em risco.

Para mim, a vida é uma questão de ter bom desempenho. Se você vive a sua vida, se se sente bem e segue a paixão do seu coração, então quem pode detê-lo? Se você não faz as coisas com paixão, com o coração e com base nas suas emoções, então você está apenas funcionando à base de adrenalina. Você vai esgotar sua energia. E se você é capaz de lidar com seus mecanismos de estresse, seu desempenho vai ser íntegro e sincero. Sua respiração lhe dá a capacidade de se conectar consigo mesmo quando precisa ter um bom desempenho numa competição, quando está estressado e a tensão pode fazê-lo se desconectar. Purifique-se todos os dias com o método. Trata-se de emoção, a conexão com o seu coração, a vontade de brincar, a alegria, a facilidade que vem daí. Seu coração é a razão de você fazer tudo isso. Ele sempre tem que permanecer no topo da lista das suas prioridades. Isso vai mais fundo do que sua história de vida. Qual o verdadeiro sucesso? Viver com o coração.

CAPÍTULO 9
A Verdade Está do Nosso Lado

Somos os novos gladiadores. Você e eu. Os antigos gladiadores não existem mais e suas guerras acabaram. Os problemas deles não são os mesmos que os seus. Sua vida é que é seu problema. Minhas ideias não são radicais e não sou uma criatura sobre-humana ou extraordinária, mas tenho uma forte convicção de que somos capazes de mudar o mundo. Eu acredito porque vejo o poder do método na minha vida, a cada dia. Eu vivo isso. Eu vivo *para* isso. Com cada experimento, cada publicação, estamos reescrevendo os livros, apresentando nosso caso. Estamos operando além dos limites conhecidos pela ciência.

Lembro-me de uma reunião com a professora Maria Hopman em uma biblioteca, depois que ela fez experiências comigo. Eu tinha todas essas suposições ousadas sobre como mudar a ciência e ela disse: "Wim, olhe ao seu redor, todos esses livros, está vendo? Se o que você diz é verdade, teremos que mudar todos esses livros!". E sabe de uma coisa? Eles *têm* que mudar os livros agora, porque estão obsoletos. A ciência evoluiu. O conteúdo mudou. *Nós* mudamos.

Mas tudo isso é externo. O frio e a respiração não mudaram. Os seres humanos lutam contra o frio desde o primeiro inverno, e os monges tibetanos têm praticado técnicas de respiração consciente há mais de mil anos. Você respira mais de vinte e três mil vezes por dia, sem nem mesmo pensar nisso. Mas, quando você respira com intenção, desperta um instinto evolutivo, que, seja consciente ou não, intensifica a experiência.

Depois do nosso triunfo em Radboud, vimos um pequeno aumento no interesse pelo que fazemos, mas principalmente entre os jornalistas. Tivemos algumas aparições na televisão e artigos de jornal e revista, mas foi um interesse mínimo em comparação com o que eu esperava. Alguns até continuaram a classificar a nossa história como uma curiosidade e eu, como alguém com algum tipo de anomalia genética ou anormalidade, mas a pesquisa havia sido publicada e, com isso, conseguimos uma certa credibilidade.

Sempre haverá cínicos e céticos resistindo contra suas ideias quando você desafia a ordem estabelecida das coisas. Esses cínicos zombam do que não entendem porque temem. Eles temem a verdade. Aproveitei o momento de visibilidade que estávamos conseguindo para participar de mais pesquisas.

Em 2009, sob a supervisão do dr. Wouter van Marken Lichtenbelt e sua equipe do Departamento de Medicina Nuclear da Universidade de Maastricht, na Holanda, mostrei que eu tinha, aos 52 anos, a mesma quantidade de gordura marrom (tecido adiposo marrom, sigla TAM) no meu corpo que adultos bem mais jovens, embora a crença comum na época era a de que o TAM não estava mais presente em adultos.[1] Além disso, metabolizei quatro vezes e meia mais energia da minha gordura marrom do que outros sujeitos bem mais jovens.

Em bebês, a gordura marrom desempenha um papel fundamental na termorregulação e na termogênese, criando calor quando os bebês ficam com frio, porque eles não são capazes de se movimentar tanto quanto nós. Em vez de depositar energia como a gordura branca, a gordura marrom é capaz de queimar energia. À medida que envelhecemos, a quantidade de gordura marrom em nosso corpo diminui drasticamente. Isso se deve em parte ao fato de usarmos roupas o tempo todo e morarmos dentro de bolhas climatizadas projetadas pelo homem. Mas assim como os músculos atrofiam por falta de uso, o mesmo acontece com nossos estoques de TAM, que diminuem se o nosso corpo não for ativado nem estimulado pelo frio. É por isso que as pessoas mais velhas supostamente têm pouco ou nenhum TAM no corpo.

Mas, a esta altura, você certamente já sabe que não sou como a maioria das pessoas da minha idade. Ou de qualquer idade. E como eu me exponho ao frio e estimulo meu corpo regularmente há muitos anos, os pesquisadores da Maastricht encontraram a mesma quantidade de gordura marrom em meu corpo do que normalmente se encontra em adolescentes. Mas, para eles, ainda mais interessante do que a presença do TAM no meu corpo era a maneira como eu era capaz de usá-lo para gerar calor. A atividade TAM foi observada em 23 dos 24 sujeitos do teste (96 por cento) durante a exposição ao frio, mas eu fui o único sujeito que foi capaz de ativar o TAM para gerar calor suficiente para manter a temperatura corporal central durante todo o tempo que durou a exposição ao frio e sem tremores.

Os pesquisadores da Universidade de Maastricht acreditavam ter descoberto o segredo do Homem de Gelo – Arrá! – e eles publicaram suas descobertas no *New England Journal of Medicine*, o periódico científico mais antigo do mundo, que publica semanalmente pesquisas da área da medicina, revisadas por pares. Embora minha produção de TAM desempenhe um papel importante na minha capacidade de suportar o frio, ela não é a única responsável por isso. Pois, como demonstrei posteriormente na Universidade Estadual de Wayne, posso gerar calor através do músculo intercostal, mas também canalizando o poder da minha mente, sem exercícios respiratórios. O professor van Marken Lichtenbelt sugeriu que a contração muscular pudesse ter contribuído para a geração de calor, mas a ideia do poder da mente, por si só, era um território desconhecido para ele.[2]

Como eles não conseguiam descobrir como sou capaz de fazer as coisas que faço, alguns anos depois resolveram fazer um estudo comparativo entre mim e o meu irmão gêmeo idêntico, Andre.[3] Eles queriam descobrir, definitivamente, se éramos ou não as anomalias genéticas que suspeitavam que éramos ou se, em vez disso, minhas habilidades eram, na verdade, resultado de treinamento. Andre é caminhoneiro e leva uma vida um tanto sedentária em comparação à minha. Ele não estava praticando o método naquela época (ele está agora), embora conhecesse suas técnicas. Ele ainda não estava tomando banhos gelados ou fazendo os exercícios especializados de respiração que desenvolvi, mas era bastante ativo fora do trabalho e gostava de praticar natação em alto-mar, o que pode explicar os estoques de gordura marrom que a equipe do professor van Marken Lichtenbelt detectou nele. Ainda assim, do ponto de vista genético e biológico, somos iguais. Somos basicamente cópias genéticas, sem diferenças fenotípicas discerníveis.

Para consternação dos pesquisadores da Universidade de Maastricht, isso é exatamente o que eles descobriram. Ao relatar suas descobertas na revista científica PLOS One, de acesso livre e com avaliação por pares, eles escreveram, "Não foram encontradas diferenças significativas entre os dois sujeitos.".[4] Como, então, posso ser capaz de fazer as coisas que faço, ao passo que Andre não pode? Se, depois de todos os testes, fomos considerados iguais, a única resposta lógica é que a minha capacidade resulta da intensidade do meu treinamento e das maneiras pelas quais o meu corpo lida com isso. Depois de décadas de treinamento no frio, desenvolvi uma neurologia diferente. Esse é o poder da mente.

Falo de lógica porque isso não é magia. As pesquisas conduzidas sobre o método são feitas com a intenção de aprofundar nossa compreensão do potencial humano. Trata-se do novo paradigma da ciência e quanto mais pessoas participarem e conhecerem esses estudos, sejam eles médicos ou apenas pessoas comuns, mais avançaremos em nossa causa. Não podemos mais ter uma visão tão estreita em nossa abordagem das coisas; em vez disso, precisamos ver o quadro maior. A natureza está nos mostrando que não podemos reter o conhecimento, temos que *ser* o conhecimento. Não podemos simplesmente dizer que, se uma pessoa tem TAM, ela será capaz de suportar tudo. Não. Você precisa usar o poder da sua *mente*. Perceber a verdadeira extensão do poder da mente é apenas desenvolver vias neurológicas que contribuam para uma nova realidade. Essa é a trindade sagrada: frio como um espelho, respiração como guia e atitude mental como o criador.

Em colaboração com pesquisadores do Royal Melbourne Institute of Technology (RMIT), na Austrália, conduzimos um enquete com mais de três mil sujeitos. Entre os sujeitos que responderam ao questionário dos pesquisadores, mais de cem afirmaram que o método ajudou a aliviar ou eliminar os sintomas da artrite. Outros cinquenta responderam que o método ajudou a acelerar a remissão do câncer. Muitos outros relataram alívio de uma dor crônica. A resposta, em suma, foi esmagadora.

> **O MWH E A DOR CRÔNICA**
>
> Minha vida mudou quando fui vítima de um erro médico durante uma cirurgia para pôr prótese no quadril. Fiz outras cirurgias que não melhoraram a minha situação; além disso, eu sofria diariamente de dores crônicas e limitações físicas. Mas quando conheci o Método Wim Hof, minha vida mudou completamente.
>
> Ele me propiciou os *insights* e as habilidades de que eu precisava para melhorar a minha qualidade de vida, apesar da dor e das limitações.
>
> A dor é um fenômeno complexo que pode ter um efeito considerável na nossa vida. A dor diária muitas vezes resulta numa espiral descendente que pode levar à depressão, ao isolamento e à dependência de medicamentos. Pode ter um efeito adverso sobre o trabalho e os relacionamentos. Mas o MWH permitiu que eu parasse de tomar medicação e, em vez disso, influenciasse a minha dor de forma natural. A concentração, a respiração e o treinamento no frio me permitem produzir os hormônios e canabinoides que reduzem a experiência da dor. A dor pode ser uma constante na vida, mas é possível controlá-la com o Método Wim Hof.
>
> WIEBE OTTEN
> AMSTELVEEN, HOLANDA

> **RESPIRAÇÃO PARA AMENIZAR A DOR**
>
> Ao praticar o MWH para amenizar a dor, você está manipulando conscientemente seu corpo e a dor que sente por meio das técnicas de respiração.
>
> 1 Comece sentando-se ou deitando-se numa posição confortável. Quando se sentir relaxado, dirija sua atenção para o local onde sente a dor. Então respire fundo cinco vezes, suavemente.
>
> 2 Agora respire fundo mais vinte vezes. Encha os pulmões e solte o ar. Não force a respiração.
>
> 3 Expire, soltando todo o ar dos pulmões, depois respire fundo mais uma vez e prenda o ar por dez segundos.
>
> 4 Enquanto segura a respiração, concentre sua atenção no ponto da dor e pressione o ar preso em direção a esse ponto. Contraia também os músculos ao redor da área da dor.
>
> 5 Solte a respiração e toda a tensão.
>
> Pense na sensação dolorosa como um sinal. Procure ouvir esse sinal e entre em sintonia com ele. Esse sinal informa que a química nessa região do corpo precisa mudar ou está mudando. Uma linha de pensamento ou uma atitude mental positiva influencia a percepção da dor. O objetivo não é suprimir o sinal da dor, mas mudar a química interna que causou a dor.

Já participei de dezenas de estudos com os pesquisadores da Universidade de Radboud e de outras instituições científicas importantes do mundo todo e obtivemos ótimos resultados. Além da descoberta divulgada em manchetes de que os seres humanos são capazes de influenciar conscientemente o sistema nervoso autônomo, o sistema endócrino e o sistema imunológico, também mostramos o benefício do método como um tratamento natural para uma série de doenças, condições e distúrbios.

Você já ouviu falar da espondilite anquilosante (EA), uma doença inflamatória crônica que afeta as articulações do esqueleto axial? Trata-se de uma doença que parece assustadora e isso por um bom motivo, pois pode fazer com que alguns dos ossinhos da coluna se fundam.[5] Isso dificulta significativamente a flexibilidade da coluna e pode resultar numa postura curvada para a frente. Se essa doença afeta as costelas, também pode dificultar bastante a respiração profunda. Ela afeta aproximadamente 2,7 milhões de americanos, com mais de duzentos mil novos casos relatados a cada ano. Não tem cura conhecida e é, claro, é bem dolorosa.

Mas uma equipe de pesquisadores do Centro Médico Acadêmico (AMC, na sigla em inglês), o hospital universitário afiliado à Universidade de Amsterdã e liderado pela dra. Dominique Baeten, conduziu um ensaio clínico, entre 2016 e 2017, em que 24 sujeitos entre 18 e 45 anos de idade relataram uma redução significativa na inflamação e na dor, além de uma melhora em sua qualidade de vida em geral, após uma imersão de trinta dias no método.[6] O ensaio foi um sucesso tão grande que o AMC agora recomenda o método como uma terapia oficial "complementar", para aqueles que sofrem dessa doença.

O dr. Matthias Wittfoth, um neurocientista alemão que se autointitula "Hacker do Estresse", agora é também um instrutor MWH certificado, de nível três. Em 2018, o dr. Wittfoth participou da Reden Reicht Nicht ("Falar Não Basta"), em Bremen. Essa conferência anual reúne neurocientistas de todo o mundo para discutir maneiras, diferentes da terapia cognitiva padrão, para trazer alívio e conforto àqueles que sofrem de depressão e outros problemas mentais e emocionais.

Os pesquisadores estavam interessados em saber se o método, por aumentar o nível da atividade neural no cérebro, poderia ajudar aqueles que apresentavam bloqueios emocionais. E sabe o que descobriram com os exames de tomografia? Que, durante os exercícios respiratórios, o cérebro se ilumina como uma bola de discoteca. O fluxo sanguíneo chega em todos os lugares. O método, como já mencionamos, leva o fluxo sanguíneo de volta para o cérebro e, com ele, a neuroatividade necessária para prevenir ou amenizar os transtornos mentais. Um estudo oficial ainda é necessário e precisamos aprender mais sobre as complexidades do cérebro, mas esse foi um achado extremamente encorajador. Se realmente somos capazes de reverter ou reduzir significativamente a depressão sem intervenção farmacológica, podemos mudar a forma como os tratamentos mentais são realizados no mundo todo. Isso não é exagero, pessoal. Apenas pense nisso.

A pesquisa continua progredindo e evoluindo, é claro. Estamos vivendo tempos emocionantes e estou muito esperançoso quanto ao nosso futuro. No momento em que você lê este livro, há uma boa chance de já termos progredido ainda mais na nossa compreensão científica dos benefícios do método. Eu não duvido.

Na Nova Zelândia, na Escola de Saúde da Universidade de Waikato, os médicos Stacy Sims e (Chris) Martyn Beaven começaram um estudo (arquivado devido à falta de patrocínio) para determinar a eficácia do método no tratamento da endometriose. A endometriose é uma doença muitas vezes dolorosa em que o tecido que reveste o interior do útero cresce para fora do útero. Além da dor associada ao distúrbio, as mulheres que sofrem de endometriose muitas vezes sofrem com problemas de infertilidade. A Clínica Mayo relata que de um terço à metade das mulheres com endometriose tem dificuldade para engravidar.[7]

A pesquisa na Universidade de Waikato será baseada nos muitos relatos de casos provando que a capacidade do método para reduzir a inflamação pode não só propiciar o alívio da dor para quem sofre de endometriose, como também aumenta as chances de conceber. Menciono esse estudo e todos os outros não para massagear o meu ego ou provar que estou com a razão. Eu nem estou tentando convencer você, porque, se já leu este livro até aqui, é porque provavelmente já começou a chegar a uma nova compreensão do que pensava ser possível. Você é um novo gladiador. Seu escudo é o método e sua espada é a verdade. Eu espero que você guarde na memória o que aprendeu com este livro e espalhe sua mensagem aonde quer que vá. Com isso, você cumprirá nossa missão. Mas é importante que, ao falar sobre o método, você deixe claro, especialmente ao se dirigir a mentes mais conservadoras, que tudo é fundamentado pela ciência e que as pesquisas estão em andamento.

Todos esses estudos apontam na mesma direção. Eles mostram que temos muito mais influência sobre as doenças, tanto mentais quanto físicas, do que jamais pensamos ser possível. Há muitos outros estudos chegando por aí, mas quantos precisamos publicar antes que a Ciência reconheça suas descobertas? Eu não sei como um médico pode examinar descobertas como essas e não ficar intrigado a ponto de querer investigar mais a fundo. Isso não é algo que você possa descartar, apenas citando um trechinho da pesquisa ou me descartando como algum tipo de aberração. Será que essa outra maneira de ver as coisas, que desafia os pressupostos da medicina convencional e que não depende da farmacologia, representa uma ameaça a eles? Será que eles veem o método como algo que vai contra seus próprios interesses comerciais? Eu preferiria não pensar desse modo, é claro. Prefiro acreditar que nossos objetivos estão alinhados, que podemos trabalhar em conjunto, para o benefício da humanidade. Não é isso que está no cerne do Juramento de Hipócrates, que todos os médicos devem fazer?

Mas estamos pensando na cura ou na medicina? Isso é o que eu me pergunto. Se queremos a cura, então vamos ao que interessa. Aqui estão todos esses dados para analisarmos. Vamos em frente. É mais ou menos aquela expressão, que diz: "Eles tentaram nos enterrar, mas nós somos sementes". A verdade do que estamos fazendo não pode ser enterrada. Mais cedo ou mais tarde, essas sementes florescerão. O método não pode ser controlado ou reprimido, porque é de graça. Ele não é meu. Eu sou apenas o mensageiro. É ciência. E eu dou as boas-vindas a qualquer um que duvide, a qualquer cético do círculo da medicina convencional que queira *provar que estou errado*. Não tenho medo de críticas. Não. Muito pelo contrário, acho que a crítica lapida o diamante da verdade. Temos a verdade do nosso lado e isso é arma suficiente na guerra de ideias.

CAPÍTULO 10
Um Dia na Vida do Homem de Gelo

Tenho seis filhos. Os meus quatro mais velhos, frutos do meu primeiro casamento, trabalham comigo. Enahm tem 37 anos agora; Isabelle tem 35 anos; Laura, 33; e Michael, 32. Eles trabalham comigo todos os dias e me sinto muito honrado. É um privilégio trabalhar com os próprios filhos. Quando eles eram pequenos e eu ia à escola primária em que estudavam, eles queriam que eu agisse normalmente, mas é claro que eu fazia paradas de mão e usava camiseta de manga curta no inverno. Os outros pais me viam e diziam, "Olha aquele cara! É maluco!". E isso era constrangedor para os meus filhos. Mas agora tudo mudou; eles servem à mesma missão. Veem mudanças na saúde das pessoas todos os dias. Não apenas em uma ou duas, mas em dezenas, centenas, nem sei quantas.

Temos mais umas seis pessoas trabalhando no nosso escritório, portanto a operação toda abrange cerca de dez pessoas, no total. Eu sou muito grato por não estar mais sozinho nisso. Eu estava até acostumado a ser a ovelha negra, o cara maluco. Que bênção é ter mais corações a bordo! Agora tenho, com minha parceira, Erin, um filho de 2 anos de idade, maravilhoso, lindo, maluquinho e travesso. Ele exala uma fofura quase mística quando anda por aí, fazendo caretas fofas, e eu simplesmente me derreto todo.

Eu, o Homem de Gelo. Eu me derreto o tempo todo na presença dele. Eu o amo demais. Também tenho um filho que eu não via há muito tempo. Ele tem 18 anos agora. Meu rompimento com a mãe dele realmente me afetou. Eu fiquei bem deprimido por causa disso. Consegui manter um bom desempenho, fazer todas aquelas tentativas de conquistar o recorde mundial e tudo mais, mas esse rompimento definitivamente lançou uma grande sombra sobre mim. Agora já fiz as pazes com ela. Encontrei um novo amor e sou abençoado não apenas com a minha própria família, mas com a família estendida. Eu amo a comunidade que estamos construindo. Eu amo a vida em geral – para ser sincero, sou louco por ela –, mas essas coisas são como cerejas em cima do bolo. Eu fui abençoado com muitas cerejas. Minha vida nem sempre foi fácil e conheço bem a dor, mas estou feliz. Estou mais feliz do que nunca. É verdade.

Porém, ainda há muito trabalho a fazer, porque há muito sofrimento neste mundo. Estamos prestes a ver a ciência mostrar que o corpo e a mente humana são capazes de fazer coisas verdadeiramente extraordinárias e que o método é um canal para isso. A maioria de nós ainda pensa que doenças e enfermidades, tanto físicas quanto mentais, são normais ou, pior, inevitáveis, e não podemos fazer nada a respeito. Mas doenças e enfermidades não são normais e você *pode* fazer algo a respeito. E agora podemos; eu e você, nós podemos. Podemos mudar nosso DNA, chegar às partes mais profundas do nosso cérebro, influenciar nosso sistema imunológico, nosso sistema linfático e nosso sistema nervoso, conscientemente. Já revertemos as doenças autoimunes, melhoramos o desempenho atlético e muito mais. Provamos isso. E agora a minha tarefa é espalhar a notícia.

Eu me mantenho firme em minha missão e acredito no poder que ela tem, mas não sou dogmático sobre isso. Não sou puritano. Pelo contrário, acredito que você deva viver a vida como quiser. A intuição e os sentimentos instintivos já foram reprimidos pelos dogmas e pelas doutrinas por muito tempo. Novas evidências científicas mostram que somos muito mais capazes do que pensávamos de controlar o estresse e inflamação, o humor e as emoções. Podemos nos tornar mais responsáveis, mais confiáveis, mais capazes de identificar o que é bom para nós e o que não é. Somos como um computador que precisa ser reiniciado.

Fiquei sozinho por cinco anos depois de perder Olaya; sem parceira. Eu era solitário? Claro! E sentia muita tristeza, mas tinha quatro filhos. Não era hora de me sentir solitário. Eu acordava às 4 horas da manhã, fazia a minha respiração durante uma hora e isso ajudava a me purificar, a processar meu luto. Quando tem quatro filhos, você precisa estar ao lado deles, em nenhum outro lugar. Eu tinha energia para estar com eles por causa do método. Ele permitia que eu me sentisse renovado a cada manhã, pronto para enfrentar o dia com tranquilidade, alegria e mente aberta. Ele me treinava para ser flexível na vida.

Trabalhar todos os dias com os meus quatro filhos – Enahm, Isabelle, Laura e Michael – é um grande privilégio.

Pode parecer uma contradição, mas aqueles que realmente estão no controle são os mais livres. É por isso que não penso muito sobre o que estou fazendo; apenas faço. Eu me abasteço da energia do universo e vou além do meu ego. Eu me entrego. Me certifico de sentir a presença da alma e irradiá-la por meio de gratidão e felicidade genuínas. Eu faço isso todos os dias e isso me permite servir a família, os meus animais, a todos e a tudo o que esteja relacionado à missão. Um homem em missão está sempre desperto interiormente, espiritualmente, pronto para ajudar os outros. Isso é o que eu faço todo dia. Tudo o que faço está a serviço da minha missão, mas ainda assim me sinto livre.

Eu quero o mesmo para você e para todos que caminham ao meu lado nesta jornada. Este livro é parte disso, assim como todas as outras coisas que faço para ajudar a espalhar esta mensagem. A vida é louca e bonita e cheia de oportunidades, e todos os dias eu as aproveito. *Podcasts*. Documentários. Artigos em revistas. Tudo o que aparece, eu aproveito.

Quanto mais a mensagem se espalha, mais os cientistas também vêm me procurar. De Melbourne a Hanover, de Los Angeles a Michigan, aqui na Holanda, cientistas e pesquisadores do mundo todo estão investigando o método, colocando-o à prova e publicando suas descobertas. Eu adoro a ciência e apoio suas investigações, até mesmo dos mais céticos (*especialmente* dos mais céticos!), porque eles validam a verdade do que temos feito. Existe apenas uma verdade, você sabe, e não fazemos conjecturas nem vendemos nenhuma panaceia. Minha missão é compartilhar amor, compartilhar a luz e levar soluções não só para ajudar os outros, mas também para resolver os problemas do passado. Acho que chegou a hora de acordar e dizer: "As bobagens do passado já eram, porque estamos dando um basta nisso agora. Estamos nos rebelando contra isso. Não temos mais que viver assim".

Estamos aqui, vivos e no comando do nosso destino. Esse comando é luz, é eletricidade, é quem somos, o que somos. Eu acordo com a consciência disso todos os dias, e é motivador. As pessoas estão tão confusas, tão presas aos seus pensamentos, que não veem que estão impedindo seu próprio progresso. Elas nem sabem que estão bloqueando a própria luz. Mas eu digo simplesmente para que sejam felizes, fortes e saudáveis. O resto é bobagem. Só confunde a mente. É hora de nos libertarmos de tudo isso, hora de o nosso espírito florescer e se expressar em todo o seu esplendor.

Mostrar às pessoas como acessar sua própria luz é uma grande parte do que eu faço ao longo do dia, mas, além disso, claro, eu respiro. Eu me abasteço do meu próprio suprimento de energia. Esse é o seu suprimento também, lembre-se, porque estamos todos conectados. A respiração muda sua construção celular, suas estruturas moleculares. Ela muda tudo. Traz luz, cria a bioquímica certa dentro do corpo, para que a luz apareça. A respiração marca o início da vida e vai lhe mostrar o caminho para a saúde e a felicidade.

Eu sei disso porque aconteceu comigo e com tantos outros que praticaram o método. A essa altura você provavelmente acha que pareço uma vitrola quebrada, que não paro de repetir a mesma coisa, e talvez eu seja mesmo. Não me importo. A repetição é a mãe da aprendizagem e eu estou defendendo o que acredito.

AUMENTE SEU PRÓPRIO SUPRIMENTO DE ENERGIA

As pessoas vivem me perguntando o que eu penso sobre a maconha. Acho que a maconha é uma maravilha. Os canabinoides têm muitos benefícios úteis. Mas se você consegue ficar doidão com o seu próprio suprimento de energia, isso é ainda melhor, não acha? Então, embora a maconha seja legal, eu prefiro respirar e tomar banho frio. Provamos cientificamente que o sistema endocanabinoide pode ser ativado conscientemente. Faça o protocolo de respiração, enfrente o frio e acesse os endocanabinoides, localizados na parte mais profunda do seu cérebro. É aí que está a melhor erva que você pode consumir: dentro de você. E podemos cultivá-la em nossa própria mente.

Eu me levanto pela manhã e faço a minha respiração. Não faço isso porque é bom para mim, embora seja, mas porque é *prazeroso*. É por isso que eu *quero* fazer. E então, logo depois, eu tomo meu banho frio ou um banho gelado, se puder. Eu adoro isso e nunca perco um dia, mesmo quando estou viajando. O banho gelado, combinado com a respiração, acelera o metabolismo. Fico na água fria até sentir uma profunda paz, que vem da adaptação completa. Fico em repouso, apenas olhando ao redor, enquanto me reabasteço. Meu corpo entra num estado metabólico profundamente intensificado, porque tem que suportar o frio. Isso faz que eu me sinta vivo, com uma sensação absoluta de estar presente – "Eu estou aqui". Sei de tudo isso, então simplesmente faço, e é ótimo. Quando saio da água gelada, não entro diretamente no chuveiro quente ou algo parecido. Não. Eu deixo o corpo funcionar e é incrível o que ele faz, o que ele pode fazer. Toda a atividade metabólica e os processos bioquímicos impulsionam o corpo para a funcionalidade máxima. Tudo funciona. Faço alguns alongamentos, alguns espacates laterais, alguns exercícios de equilíbrio. Estou na casa dos 60 anos e ainda consigo equilibrar todo o peso do meu corpo num único braço. Isso pode parecer impressionante, mas sei que daqui a dez anos – quando eu estiver na casa dos 70, um cidadão idoso – ainda vou estar tentando bater todos os tipos de recordes (e conseguindo), como sempre fiz.

Sabe por quê? Porque, como o coelho na natureza, somos feitos para saltar até o último dia da nossa vida. Como você deve saber, não existem lares de idosos para coelhos. Eles são mamíferos assim como nós. E os coelhos em idade avançada ainda fogem, lutam, encontram comida e acasalam. Isso faz parte da natureza deles, e o que mais? A natureza forneceu aos coelhos todas as ferramentas para a sobrevivência, e as mesmas capacidades são inatas dentro de nós. Somos feitos para sobreviver e prosperar, então é isso que eu acho que vou fazer até morrer. Até o dia da minha morte, vou conseguir fugir, lutar, encontrar comida, resistir ao frio, controlar minhas emoções e fazer amor. Isso tudo é possível? Você conhece os cinco F's em inglês: *freeze, flight, fight, food* and *fuck* ["paralizar, voar, lutar, comer e foder"]? Eu acredito que sim, e é lindo. É assim que somos. Não somos receptáculos ocos olhando para uma tela minúscula em nossa mão. Não somos os letárgicos viciados em televisão, assistindo a jogos de futebol. Como você está se sentindo? Eu me sinto muito bem! E é assim que eu escolho viver minha vida todos os dias.

Custe o que custar, quero sentir que este corpo está me servindo. Então eu faço meus exercícios, suspendo meu corpo num só braço, me equilibro ou me penduro em algum lugar, me sustentando apenas com um dedo. Meu dedo médio, naturalmente. Eu ainda detenho o recorde mundial por isso, como deve saber. Em fevereiro de 2003, eu me pendurei numa corda amarrada entre dois balões de ar quente. Estávamos a mais de um 1.600 metros de altura e fazia muito frio. Eu estava com o tronco nu e já tinha perdido a destreza do meu dedo, das extremidades. Mas ainda assim fiquei ali, pendurado pelo dedo médio por 23,5 segundos, como uma espécie de lunático. Foi na televisão e você ainda pode encontrar o clipe no YouTube.[1] Consegui fazer isso e muitas outras coisas malucas com este meu corpo. É incrível, de fato. Mas, mesmo quando a proeza é perigosa, o que costuma acontecer, sempre me sinto no controle. Talvez ainda mais. E isso me dá uma sensação mais intensa do que qualquer emoção. Como a água fria, faz eu me sentir realmente vivo. Depois que experimenta essa sensação, você anseia por ela. Você a persegue. Você não se cansa dela. Você é como um homem que tem uma missão: nunca dorme, está sempre pronto, sempre alerta. Todos os dias, não importa quanto tempo leve para cumpri-la.

PROTOCOLO MWH: BANHOS GELADOS E MERGULHOS NO GELO

Enfrentar o frio em meio à natureza, não existe nada igual! E tomar um banho gelado é uma maneira incrível de mostrar a si mesmo do que você é capaz. Para ir se acostumando ao frio dentro de casa ou em meio à natureza, siga as seguintes etapas:

1 Primeiro, encontre alguém para compartilhar essa experiência com você. Banhos gelados e mergulhos no gelo são mais seguros e divertidos na companhia de amigos.

2 Prepare-se fazendo uma ou duas rodadas do exercício básico de respiração, enquanto contempla a água fria. Imagine como você se sentirá. Como vai entrar na água, seja uma banheira ou um lago, e como se sentirá quando fizer isso. Estabeleça uma atitude mental positiva, de quem sabe que vai conseguir fazer isso.

3 Entre na água com confiança, enquanto respira fundo e com tranquilidade. Concentre-se na sua respiração. Entregue-se ao frio; deixe-o levá-lo às profundezas do seu próprio ser. Não pratique a técnica básica de respiração MWH. Em vez disso, faça expirações longas e conscientes, para levar a respiração a um ritmo controlado e constante. Inspire profundamente pelo nariz e procure relaxar. Experimente deixar escapar um longo "hummmmm" ao expirar.

4 Mantenha o foco na respiração e no seu próprio ser ao sair da água. Aqueça-se fazendo o exercício de postura do cavalo e mantendo a atenção no seu eu interior. (Veja a página 187.)

    O frio é um amigo acolhedor, nosso espelho e nosso professor. Mas ele também pode ser perigoso. Quando você aumenta a exposição ao frio, seja entrando numa banheira ou num lago congelado, essa é uma experiência intensa. Se você quer experimentar essa sensação de tomar um banho gelado ou mergulhar no gelo, certifique-se de estar em segurança e preparado. Para fazer um treinamento completo expondo-se ao frio de modo seguro, visite o *site* wimhofmethod.com, para se informar sobre nossos cursos e videoaulas[*].

---

[*] O *site* oferece videoaulas gratuitas e cursos sobre o método em várias línguas, inclusive em português. (N. da T.)

CAPÍTULO 11
Vamos nos Libertar do Nosso Fardo Ancestral

Cada um de nós carrega um fardo ancestral dentro do nosso código genético. Um artigo sobre uma pesquisa publicada em 2018, nos *Proceedings of the National Academy of Sciences of the United States of America*, e realizada por três membros do Programa de Economia do Envelhecimento do Departamento Nacional de Pesquisas Econômicas, em Cambridge (Inglaterra), revelou que os filhos dos prisioneiros de guerra da antiga Guerra Civil tinham muito mais probabilidade de morrer de morte prematura do que os filhos de soldados que não foram presos, embora ambos os subconjuntos de descendentes tivessem nascido após o fim da guerra e, portanto, não tivessem sofrido um impacto direto da prisão.[1]

Graças a estudos conduzidos por pesquisadores proeminentes, há mais de uma década sabemos qual é a aparência do nosso DNA sobre a lâmina de um microscópio, mas agora encontramos uma maneira de influenciar esse DNA de acordo com a nossa vontade. Isso é chamado de *hormesis* (ou estresse hormonal), termo que designa um fenômeno em que uma substância ou agente ambiental conhecido por ser prejudicial em doses maiores tem efeitos estimulantes e benéficos sobre os organismos vivos quando a quantidade da substância nociva é pequena. As células vivas na realidade se adaptam em resposta a essas substâncias (ou estressores), afetando positivamente sua condição e funcionalidade.[2] Isso é algo que podemos fazer conscientemente e, em resultado, alteramos a estrutura de nossas células primordiais com um propósito específico.

O dr. Pierre Capel é professor emérito de Imunologia Experimental da Universidade de Utrecht, na Holanda. Sua pesquisa sobre o DNA, estruturas celulares e a relação bioquímica entre o DNA e as doenças têm servido para aumentar muito a nossa compreensão científica de como nosso corpo reage e se adapta aos estressores ambientais. Depois de revisar e analisar os resultados dos nossos experimentos na Universidade de Radboud, o dr. Capel validou minha afirmação de que fomos os primeiros a provar a influência direta e consciente sobre o sistema nervoso autônomo, a célula, nosso DNA e as expressões gênicas. Expressões gênicas, que se referem ao processo pelo qual as instruções do nosso DNA são convertidas num produto funcional, como uma proteína, eram antes consideradas involuntárias. Mas, assim que começamos a exercer influência sobre o sistema nervoso autônomo – como demonstramos em Universidade de Radboud e na Universidade Estadual de Wayne –, mostramos que uma sequência de processos químicos poderia resultar em expressões gênicas diferentes e inesperadamente positivas. Nós mostramos que é possível suprimir uma reação negativa a uma toxina nociva e controlar o sistema imunológico. Também é possível que possamos influenciar nossas expressões gênicas, ativando positivamente fatores de transcrição (que convertem DNA em RNA) e outras proteínas que, caso contrário, não poderiam ser influenciadas. Se isso for comprovado, teremos a capacidade de direcionar positivamente os fatores de transcrição, que têm centenas, senão milhares, de expressões gênicas em potencial.

Naturalmente, essa foi uma revelação para pesquisadores como o dr. Capel e, espero, para a comunidade científica em geral. Porque, se pudermos influenciar conscientemente as expressões gênicas no presente, teremos possibilidade de influenciar a expressão dos genes que nos são transmitidos através do DNA de nossos ancestrais. Isso pode parecer improvável, mas as aplicações dessa influência, em termos de prevenção de doenças (pense em marcadores genéticos) e tratamentos, para não mencionar outros fatores hereditários, é ilimitado. Um número maior de pesquisas é necessário, é claro, e ainda temos muito que aprender sobre como fazer isso de maneira ética e responsável, mas, se formos capazes de alterar o que foi transcrito através do DNA de gerações anteriores, podemos mudar nosso destino genético.

Na Holanda, há um velho ditado que, em essência, se traduz como "Abençoo suas sete gerações passadas e as sete que virão". Nos Estados Unidos, existe o Princípio da Sétima Geração, que se baseia numa filosofia nativo-americana segundo a qual as decisões que tomamos no presente resultam num mundo sustentável sete gerações à frente.[3] Bem, agora temos uma tecnologia que nos permite analisar nosso DNA até onze gerações atrás, para rastrear sua jornada e como ela se manifestou em nossos genes e em suas várias expressões.[4] Essa tecnologia está sendo usada e analisada agora de várias maneiras interessantes, com implicações que vão desde a Antropologia até a Economia, mas, na minha opinião, nada é mais interessante do que o modo como ela contribui com o nosso entendimento da genética. Podemos aplicar essa tecnologia para potencialmente acabar com tudo de negativo que foi armazenado em nossos genes e recuperar a luz e o espírito extintos nas gerações passadas, canalizando-os num novo meio – num novo corpo – em você!

Quando alteramos nosso DNA para melhor, os genes transmitidos para as novas gerações passam a ser uma dádiva ancestral e não um fardo. E, ao nos livrarmos do que é negativo, também nos voltamos para o passado e libertamos nossos ancestrais de qualquer dor, trauma ou doença que eles próprios herdaram e passaram adiante, e os abençoamos. Os povos nativos – nossos ancestrais – sabiam disso. Chegamos com a nossa mente colonialista, menosprezando as pessoas que viviam pacificamente em harmonia com a natureza, considerando-as ignorantes e primitivas. Invadimos suas terras e tentamos esmagar seu espírito, com um falso senso de superioridade. Mas agora é hora de nos reconectarmos com a Terra e nos tornarmos nativos. Fazendo isso, temos o conhecimento e a tecnologia para fazer as pazes com os espíritos do passado, aqui e agora. É hora de despertar para a nossa verdadeira natureza, que é a de libertação. Que seja *essa* a nossa dádiva ancestral.

Acredito que seja possível voltar à condição celular original, de 3,77 bilhões de anos atrás. A célula original estava progredindo e essa célula ainda existe agora em nosso corpo, em todas as coisas vivas. A energia dos dinossauros, de todos os animais extintos, não foi embora deste mundo; ela apenas mudou de forma. Esses blocos de construção celulares estão presentes dentro do nosso corpo e somos capazes de restaurá-los à sua forma original, de 3,77 bilhões de anos atrás. É quase inconcebível, mas agora somos capazes de olhar através da lâmina de um microscópio e ver que a célula, a célula primordial, estava sendo protegida por proteínas conhecidas entre os biólogos moleculares como "chaperonas". Essas células exigiam proteção porque acreditava-se que elas nasceram em águas muito ácidas e quentes. As proteínas protetoras permitiam que as células resistissem a essas condições extremas. Nós vivemos hoje numa bolha de conforto climatizada em que nossas células não são mais estimuladas pelo frio, pelo calor ou pela pressão. Esses perigos persistem fora das nossas bolhas, é claro, mas como raramente os enfrentamos hoje em dia, as proteínas chaperonas, que protegem nossas células, não funcionam mais como antes.

Acredito que, com este método, descobrimos uma maneira de restaurar essas proteínas e com elas a condição original da célula, revertendo as consequências de erros genéticos e libertando nosso corpo, nossa mente e nossa alma de gerações de condicionamento não natural, que nos levaram à doença, à depressão e à desarmonia com a natureza. Não é nada abstrato. Podemos libertar os espíritos do passado. Podemos nos libertar e, ao fazer isso, libertar os espíritos dos nossos ancestrais da sua própria carga genética. Tenho certeza de que isso parece uma tolice *hippie*, mas se baseia na ciência. Nossos ancestrais estavam certos.

Séculos de colonização, exploração, poluição e insensibilidade cobraram seu preço na consciência coletiva da humanidade, mas ainda precisamos viver em harmonia com a natureza para alcançar a verdadeira felicidade e saúde nesta ou em qualquer vida. Agora estamos apenas começando a despertar para o que está registrado em nossos genes e para as maneiras pelas quais podemos editar esse código. A minha esperança é que, com estudos futuros, possamos mostrar que somos capazes de restaurar a célula original e sua condição em energia pura, a célula como uma entidade física que recebe luz, que recebe a alma. Parece complexo, não é? Eu admito que sim. Mas trata-se da *sua* alma, da *sua* luz. O que você vai fazer com isso?

É melhor você montar esse cavalo, porque ele está correndo e é mais rápido do que você. A ciência terá que nos alcançar, mas teremos todas as evidências em breve. Como eu disse, a ciência às vezes pode avançar a passos de tartaruga, mas não é preciso ser um geneticista para ver as possibilidades aqui. Quem é você? O que você é? Você pode reivindicar o poder da sua própria mente, reivindicar o seu destino. O que você vai fazer?

O professor Capel está na vanguarda da pesquisa sobre o DNA há mais de quarenta anos. Ele é uma autoridade na área e seu último livro, *Het Emotionele DNA* [O DNA emocional] busca combinar o mundo mágico dos sentimentos com a biologia molecular, para explicar como os sentimentos direcionam a nossa saúde e como podemos influenciá-los conscientemente.[5] Os sentimentos não existem, afirma o dr. Capel. Eles brotam. Mas de onde eles vêm? O nosso DNA pode ser um portador de antigas emoções, até mesmo de gerações anteriores, pois herdamos os genes dos nossos ancestrais. Às vezes essas antigas emoções batem na porta do nosso consciente, perguntando: "Você pode me libertar?". Os nativos têm consciência disso. Eles sabem que os espíritos antigos nos visitam assim, através das nossas emoções. Os céticos, naturalmente, rejeitam esse tipo de consciência, achando tudo isso um absurdo, uma besteira *hippie*, mas eles estão errados. Eu vejo experiências como essas o tempo todo na vida das pessoas.

Uma delas é Michel Sardon. Estávamos na Polônia, no acampamento onde eu ofereço retiros de inverno. Michel é um homem alto e bem apessoado, carpinteiro e professor de carpintaria, e muito ligado à mãe, que já havia morrido. Ele é um sujeito grande e forte, mas muito reprimido emocionalmente. Depois de alguns dias de treinamento, subimos o monte Śnieżka com nosso grupo, como já era de costume. Estávamos nos aproximando da crista, no topo da montanha que marca a fronteira entre a Polônia e a República Tcheca, e ventava muito.

E o vento o pegou em cheio. Ele é um homem forte e bem-apessoado, que está sempre no controle – ele é professor e tudo mais –, mas o vento simplesmente acabou com ele. Eu o chamo de "chicote", porque ele açoita você, e foi exatamente isso que ele fez com Michel. Ele tremia incontrolavelmente e eu tive que levá-lo até uma antiga casa de controle alfandegário, na fronteira, e abraçá-lo por meia hora para trazê-lo de volta. Por fim, descemos a montanha juntos e, quando nos aproximamos do sopé, ele disse: "Eu conversei com a minha mãe durante todo o caminho".

Michel era um homem livre, um homem feliz. Jogamos futebol depois daquele dia. Mas aquele momento na montanha, dominado por emoções reprimidas e a força dos elementos, a reação dele não pareceu estar relacionada apenas às experiências desta vida ou à mãe dele. Tinha relação também com ancestrais aprisionados no seu código genético, no seu DNA. Sua mente condicionada, como tantas outras, não conseguia compreender a fundo aqueles mecanismos e foi isso que lhe causou a sobrecarga emocional. Coletivamente, perdemos a capacidade dos nossos ancestrais nativos de trazer harmonia, emocional e espiritualmente, para o aqui e agora. Mas qual é o propósito da vida? É apenas se autorrealizar? Ou você também carrega o peso da responsabilidade de libertar os espíritos daqueles que estão presos dentro do seu código genético, como um cofre. Enquanto estivermos vivos, seremos capazes de chegar ao cofre e decifrar a combinação.

Mas até que ponto devemos levar a sério a influência das emoções sobre a nossa saúde e a nossa vida? Às vezes pode ser difícil processá-las ou entendê-las. As pessoas que frequentam nossos retiros muitas vezes relatam que veem rostos enquanto fazem a respiração em grupo, rostos que não reconhecem, mas com quem sentem uma profunda conexão. Essas visões, embora misteriosas, são vívidas. Tridimensionais. E estou convencido de que são manifestações das nossas emoções e das condições da nossa fisicalidade. Essas expressões genéticas profundas e criptografadas criam vida em nossa consciência se mergulhamos fundo em nós mesmos e, quando isso acontece, somos capazes de libertá-las. E depois você se sente muito melhor, porque você se liberta dessa dívida genética. Você se sente mais leve. Não é magia, é genética. É ciência. Você disca a combinação, abre o cofre e liberta todos os espíritos que estão trancados dentro do seu DNA. Gerações e gerações. É incrível.

Michel é um excelente exemplo, mas é apenas um caso. Por exemplo, estive em Barcelona pouco tempo atrás e, após a sessão de respiração em grupo, um homem se aproximou de mim chorando e disse: "Você me devolveu a minha alma". O que você faria se alguém dissesse algo assim a você? Essas pessoas vêm até mim chorando. São pessoas belas, mas reprimidas emocionalmente. A respiração as abre para essas emoções. Eles mergulham fundo dentro de si mesmas e se entregam à emoção, chorando como bebês. Os sentimentos as oprimem. Eu apenas as abraço e digo: "Seja forte e passe isso adiante, porque há mais espíritos confinados dentro de você e você pode libertá-los. Agora você sabe como".

Esse é um momento emocionante. Por meio de novos desenvolvimentos em tecnologia, os pesquisadores estão entendendo melhor não apenas como podem manipular as sequências do DNA, mas também como podem produzir mudanças funcionalmente relevantes para o genoma, por meio da epigenética, que não envolve a alteração da sequência do DNA, mas sim a expressão genética (ou gênica).

Essa pesquisa está no âmago do trabalho da dra. Elissa Epel, diretora do Centro de Envelhecimento, Metabolismo e Emoção da Universidade da Califórnia, em São Francisco (Estados Unidos). Em 2017, a dra. Epel escreveu, em coautoria com a dra. Elizabeth Blackburn, ganhadora do Prêmio Nobel e sua ex-colega da UCSF, *The Telomere Effect*, um *best-seller* do jornal *New York Times*. A John W. Brick Mental Health Foundation está financiando um estudo de dois anos, "padrão ouro", liderado pela dra. Epel. Nesse estudo, a equipe procurará determinar como o corpo responde, no nível celular, ao estresse hormonal enquanto relacionado à depressão e doenças mentais.

Nesse estudo, a dra. Epel monitora três grupos: um grupo de controle, que não pratica nenhuma atividade física; um grupo que faz treino intervalado de alta intensidade (HIIT, na sigla em inglês) e um grupo que pratica o Método Wim Hof. Ter um pesquisador da estatura da dra. Epel investigando a eficácia do método é, obviamente, uma honra e minha esperança é que suas descobertas confiram mais legitimidade às nossas alegações. Nós sabemos que o método faz maravilhas para aqueles que estão sofrendo de depressão e outros problemas de saúde mental, porque vemos os resultados todos os dias, mas ter um pesquisador proeminente validando o que constatamos só pode ajudar a fortalecer o que defendemos.

O MWH E A BIPOLARIDADE

Apesar de ter sido criado em um ambiente seguro e no seio de uma família amorosa, nunca me senti confiante ou seguro interiormente. Eu sempre tive medo das mudanças da vida e dificuldade para me adaptar a elas. A escola era uma tortura, tanto do ponto de vista educacional quanto social. Na idade adulta, nunca consegui manter um emprego e eu pensava (e assim me disseram) que era porque eu era preguiçoso e não tinha caráter. Eu lutei contra essa realidade durante muitos anos, nunca me encaixando na vida cotidiana ou na sociedade moderna.

Aos 42 anos, cheguei ao fim da estrada. Não via uma luz no fim do túnel. Tinha enfrentado o transtorno bipolar por mais de trinta anos e a vida era muito difícil. Então, quando encontrei Wim, literalmente caí de joelhos, chorando, porque, depois de três décadas, finalmente tinha encontrado as ferramentas para me consertar. Wim me mostrou um lampejo de luz em meio à escuridão e eu o agarrei como se a minha vida dependesse disso.

> Ao aplicar o método, consegui me libertar do isolamento, da depressão, da dor e do medo. Por meio dos exercícios respiratórios e da exposição ao frio, consegui criar um espaço entre a depressão e a euforia. Esse espaço me deu tempo para eu me encontrar. Os gatilhos externos e a negatividade não levam a melhor sobre mim, porque estou mais no controle das minhas emoções. Pouco a pouco, com a ajuda dos meus médicos, parei de tomar quase todos os medicamentos dos quais dependia a tanto tempo, para amenizar meu transtorno mental, e agora estou aprendendo a me tornar cada vez mais o meu próprio curador, sendo mais aberto e consciente na vida.
>
> O Método Wim Hof é para mim, pessoalmente, o caminho mais puro de volta para quem eu realmente sou, e, caminhando por essa estrada, fui capaz de me fortalecer de dentro para fora, sem olhar tanto para os outros, mas confiando em mim mesmo.
>
> ANDREAS GUSTAFSSON
> ESTOCOLMO, SUÉCIA

Mas por que o método funciona tão bem para nos libertar dos nossos traumas ancestrais? Como mencionamos anteriormente neste capítulo, a inflamação influencia os fatores de transcrição, que se relacionam diretamente com a expressão dos genes dentro do nosso DNA. Graças ao método, agora somos não apenas capazes de suprimir a inflamação, mas também de ativar as proteínas chaperonas que protegem a célula, impedindo a ocorrência de expressões genéticas indesejadas. Com isso, as telomerases e os telômeros (proteínas que protegem as extremidades dos cromossomos), que influenciam a longevidade e a qualidade de vida, mantêm as células ativas. Somos, portanto, capazes de influenciar o tempo que permaneceremos saudáveis, ativos e livres de doenças, e a qualidade das nossas expressões gênicas, além de desencadearmos reações que influenciam positivamente nossa saúde num nível celular.

Se somos capazes de influenciar a expressão dos nossos genes e eliminar resultados genéticos indesejáveis, que afetaram negativamente as gerações anteriores, podemos olhar para esses resultados da mesma maneira que um psicoterapeuta ajuda um paciente a olhar um trauma de frente. Como argumentou a dra. Capel, as emoções estão presas no nosso DNA, o que faz que possam ser herdadas às gerações futuras. E assim como não conseguimos lidar com o trauma emocional no momento em que ele acontece, é apenas com a perspectiva propiciada pela distância que conseguimos abordar nossa herança emocional. Depois que nos afastamos do nosso trauma e conseguimos vê-lo de uma certa distância, passamos a entender, na psicoterapia, que não somos responsáveis pelo abuso que sofremos, pelo trauma que nos foi infligido e que nos afetou profundamente. Só então somos capazes de nos curar.

Do mesmo modo, quando examinamos e analisamos as expressões dos nossos genes ao longo das gerações (como eu disse, agora temos a tecnologia para retroceder onze gerações), podemos editar a estrutura física do nosso DNA e libertá-lo do próprio trauma hereditário agora, no presente.

A chave, assim como na psicoterapia, é o distanciamento. Nós não toleramos o trauma nem entramos num acordo com ele, mas o tratamos por meio de um afastamento clínico, um ponto de vista distanciado a partir do qual a emoção não tem nenhuma influência. Como o trauma está no passado, não se manifesta como ansiedade. E nós podemos restaurar nossos genes, num nível celular, à sua condição original, de 3,77 bilhões de anos atrás, uma época anterior a que os fatores ambientais e biológicos corromperam sua expressão na forma de doenças, depressão e outras anormalidades aprisionadas no nosso DNA. Podemos nos libertar e libertar as gerações futuras desse fardo.

Você está acompanhando meu raciocínio?

Deixe-me dar mais um passo à frente. Quando entramos na água fria pela primeira vez, isso é um choque para o nosso organismo. Nosso corpo reage de forma extrema, ativando o instinto de sobrevivência – a resposta de "lutar, fugir, comer, paralisar e foder" –, à medida que procura se proteger do estímulo desse ambiente hostil. Mas, depois que a mente e o corpo, trabalhando em conjunto, começam a se aclimatar nesse novo ambiente extremo, eles neutralizam a magnitude do impacto do frio. E, se entrarmos na água fria regularmente, nosso sistema vascular muda gradualmente em consequência disso, o que significa mais fluxo sanguíneo para a parte mais profunda do cérebro, a substância cinzenta periaquedutal, convertendo a dor associada com o choque inicial numa sensação de prazer.

Somos capazes de sobreviver e superar expressões gênicas traumáticas de forma semelhante. Traumas, como o da água fria, estão além do nosso controle imediato. Sentimos seu impacto, nossos mecanismos de sobrevivência são ativados e nós os trancamos. Posteriormente, lidamos com as consequências. Ou não, e eles ficam trancados. Seus pais, avós ou bisavós podem não ter sido capazes de lidar com o trauma, mas eles o transmitiram por meio dos seus genes. Agora somos capazes de limpar nossos genes desse trauma e começar de novo, libertando todas aquelas gerações. A liberdade deles é o canal para a nossa própria, pois é refletida pela alma. Cabe a nós traduzir sua energia. A alma emite luz, eletricidade. Se for capaz de entrar na parte mais profunda do cérebro, você vai estabelecer uma conexão com ela. E você saberá quando isso acontecer, porque o sentimento é inconfundível. O trauma não tem nada a ver com a alma.

RESPIRAÇÃO PARA MELHORAR O HUMOR

Este exercício usa e treina o controle neuroestimulativo do cérebro para ajudar a aliviar o mau humor ou a depressão. O fornecimento de oxigênio ao cérebro melhora o bem-estar. Vimos em ressonâncias magnéticas que todo o cérebro "dança" quando os sujeitos fazem os exercícios de respiração. Você pode fazer este exercício sempre que quiser, mas ele pode ser especialmente poderoso quando você estiver se sentindo melancólico, temperamental ou deprimido. Não force nada – sinta!

1 Sente-se ou deite-se num local seguro e confortável.

2 Sinta e tente relaxar todas as partes do corpo. Observe-se e tome consciência do que você está sentindo, vendo e ouvindo, sem julgamento. Fique apenas presente.

3 Respire fundo vinte vezes. Encha os pulmões e solte o ar.

4 Na última respiração, respire fundo, prenda o ar, pressione o queixo contra o peito, contraia o assoalho pélvico e direcione essa tensão para cima, em direção à cabeça.

5 Se você estiver sentindo algum desconforto físico, concentre sua atenção nisso e observe. Contraia os músculos dessa região. Prenda a respiração por, no máximo, dez segundos.

6 Libere a respiração e toda a tensão.

7 Repita isso duas ou três vezes ou até se sentir melhor.

Você não precisa ser um praticante avançado do método para obter benefícios. Se respirar e abrir o coração para a experiência, pode estabelecer essa conexão em vinte minutos. Essa é uma das coisas mais belas sobre o método. Qualquer um que o pratique é capaz de penetrar na parte mais profunda do cérebro e libertar tudo o que está obstruído em seu corpo, como bloqueios, medos, inibições, o que quer que esteja interferindo no seu fluxo de energia. Estamos aqui neste plano físico como resultado de todas as gerações que vieram antes de nós e somos capazes de libertá-las também, porque as carregamos conosco em nossos genes, como um herança ou, no caso de um trauma, um fardo. Não precisa mais ser assim. Todos somos equipados com as ferramentas próprias para nos libertarmos, física e psicologicamente, de todo trauma cumulativo, e agora é a hora de usá-las. Somos capazes não só de garantir nossa felicidade, força e saúde, mas também de garantir o mesmo para as gerações futuras. Estamos no limiar dessa era.

Sempre me senti assim, mesmo antes de entrar na água fria. Não sei o que é exatamente, mas não vou aceitar todas essas doenças e guerras, crianças famintas, a crueldade com os animais. Eu não vou aceitar nada disso. Exploração, insensibilidade, é esse o objetivo da humanidade? É isso que ensinamos aos nossos filhos na escola? Participar de um sistema que serve à ganância e à ignorância? Que tudo isso vá para o inferno. Não! Para dar sentido ao mundo, precisamos retornar à natureza. É por isso que estou experimentando extremos com meu corpo e minha mente, voltando para a Ciência. Estou mostrando que existe uma outra maneira. Existe uma grande variedade de soluções naturais para os problemas contemporâneos que enfrentamos. Existe uma saída.

Estou aqui por causa da luz. Ela me guiou numa missão para revelar a verdadeira natureza da humanidade, que é o amor. É hora de acordar para esse amor. É hora de despertar para uma mente que não é vulnerável à manipulação ou à corrupção, e que é totalmente sua. Como você consegue acordar? Respirando, enfrentando o frio, tornando-se consciente, refletindo a alma. Conseguimos isso sendo a luz.

Não estou dizendo isso num sentido abstrato. Existe uma lógica. Existe a ciência. É por meio da luz da alma que vamos encontrar nosso propósito e sentido neste mundo louco. Isso é o que eu tenho feito há quarenta anos, mas de muitas maneiras, sinto como se a minha jornada estivesse apenas começando. Eu só quero ir direto ao ponto existencial de tudo e mostrar que, se mudarmos o paradigma – se defendermos o retorno à natureza –, seremos capazes não só de garantir a nossa felicidade, a nossa força e a nossa saúde, como também garantir o mesmo para as gerações futuras.

O que mais você pode querer?

CAPÍTULO 12
Além dos Cinco Sentidos

Todos nós nascemos com a capacidade inata de combater as doenças, tanto mentais quanto físicas. Somos feitos para viver alertas, presentes e no controle, mas a humanidade moderna alienou-se da sua verdadeira natureza prendendo-se em pensamentos, preocupações e estresses que se manifestam no corpo como inflamações. Achamos que temos o mundo ao nosso redor controlado, mas a realidade é exatamente o contrário. Nosso hábito de ficar na zona de conforto nos tornou fracos. Mais do que isso, nos tornou dependentes. Nós nos sentamos numa sala a 22 graus, enquanto comemos alimentos superprocessados, para fugir das tensões autoimpostas da nossa vida diária. E, embora seja bom refletir, sair por aí no mundo da lua, perdido em pensamentos de vez em quando, tudo em nós fica desregulado. Nosso sistema imunológico está comprometido, o que nos deixa suscetíveis a doenças e desordens. Nossa bioquímica está desequilibrada e não podemos mais funcionar como deveríamos. Além disso, muitas dessas doenças são psicossomáticas. Estamos nos preocupando demais.

Por meio do método, agora encontramos uma maneira de retornar ao nosso natural estado de ser. Descobrimos uma maneira de saltar para fora da roda de *hamster* e se reconectar com a natureza dentro de nós. Como uma espécie de cobaia, desenvolvi e aperfeiçoei o método, submetendo-o a testes extremos: escalar o monte Everest de *shorts*, nadar sob o gelo, ficar pendurado por um dedo, correr uma maratona no deserto sem beber água. Eu fiz tudo isso para mostrar que não só conseguiria sobreviver, mas também manter o controle, mesmo em ambientes e condições mais extremos. Essa é a natureza, a minha e a sua.

Cada um de nós é um ser divino, bem agora, neste momento. A luz está aí dentro de você, enquanto segura este livro nas mãos. Se conseguir ficar presente neste momento, em vez de ficar pensando em preocupações e estresses, você se verá no caminho da felicidade, da força e da saúde. Essas são as propriedades da luz interior, se você for capaz de reconhecer isso. Mas, se você não puder (ou não quiser) e em vez disso deixar que pensamentos e energias negativas o direcionem, você só se tornará ainda mais alienado e desconectado dessa luz. E, quando perdemos a conexão dessa maneira, não conseguimos controlar seu poder.

As técnicas de respiração e a exposição gradual ao frio são tão eficazes que nos permitem ir até mesmo ao invisível. Porque temos sentidos que se voltam para fora e temos outros que se voltam para dentro. E os sentidos invisíveis estão agora ao nosso alcance, assim como as partes mais profundas do nosso cérebro. Isso pode parecer muito transcendental e diferente, mas não é. Não há nada de abstrato nisso. É física, é bioquímica e é a sua força de vontade, que é um músculo neurológico. Estamos aprendendo a entrar em nossa própria mente.

É aqui que os três pilares do método se unem. A respiração, a exposição ao frio e o compromisso não são tão poderosos individualmente como são juntos. Mas, se você for capaz de se conectar com seu corpo através da respiração e da exposição ao frio – se você se comprometer e treinar o método –, então, de repente, esse músculo neurológico chamado "força de vontade" pode entrar em ação e fazer seu belo trabalho. A força de vontade é o seu entusiasmo e a sua energia para a vida. Esse é o poder da sua bela mente. Ela se torna linda porque você está no comando. Aonde você gostaria de ir?

Até agora, a opinião científica consensual é a de que somos incapazes de acessar nossa mente subconsciente. Poderíamos talvez captar um vislumbre em nossos sonhos ou, quem sabe, por meio das cartas do tarô ou da astrologia. Mas assim como a consciência requer um despertar e desenvolvimento neurológico – por exemplo, uma criança primeiro ganha consciência de si mesma e, com o tempo, aprende a andar –, o mesmo acontece com a necessidade do subconsciente de estar desperto. E, quando o subconsciente está desperto e desenvolvido, torna-se consciente. Embora a pesquisa científica sobre isso seja um pouco recente, é importante ter em mente que este não é um conceito novo ou radical. Muito pelo contrário, a fusão da mente consciente e da subconsciente é uma prática que remonta a milhares de anos, uma espécie de herança espiritual. As culturas, ao longo das eras, criaram práticas ou ritos de passagem que buscam a conexão com um sentido mais verdadeiro de realidade, o sentido da alma. O que é a alma? É a parte de você que está além do raciocínio. É a própria natureza.

Talvez você tenha recebido lampejos de ideias estranhas, momentos de profunda clareza. Ou talvez tenha sentido uma energia dentro de você que não conseguiu identificar. Isso é o seu subconsciente batendo na porta da sua consciência. Faz parte de quem e do que você é.

Para se conectar com seu subconsciente, você primeiro precisa aprender a lidar com o seu corpo. Depois com a sua mente. A partir daí, você terá acesso ao seu corpo espiritual e, por fim, vai conhecer seu subconsciente e buscar responder às grandes questões da vida: Por que estou aqui? Qual é o meu propósito? E se o seu músculo neurológico estiver suficientemente desenvolvido, todas as suas faculdades devem estar prontas para atendê-lo. Você será capaz de caminhar com seu espírito de modo consciente. Seu subconsciente se torna consciente, o invisível se torna visível e você por fim se encontra e, com o tempo, ganha controle sobre seus sentidos – todos eles.

Você sabia que, além dos seus cinco sentidos externos – olfato, visão, paladar, audição e tato –, você tem outros sentidos? A Ciência reconhece vários sentidos extras, como a propriocepção e interocepção. E, embora o pensamento predominante seja o de que não podemos controlar esses sentidos internos, o estudo da Universidade Estadual de Wayne mostrou que é possível ter controle sobre eles.

As pessoas pensam no sexto sentido como uma "percepção extra-sensorial", como ler mentes ou prever o futuro. Mas eu chamo o sexto sentido de "confiança", a confiança absoluta na sua própria natureza, no seu próprio destino, na sua missão, no seu propósito na terra e além. Esse é um sentido extraordinariamente poderoso que transcende a dúvida e dissipa toda confusão. Em vez disso, ele é pura luz. Ele brilha dentro de você. Quando tem confiança nele, você tem força para seguir o caminho que ele lhe aponta.

É como a antiga história do épico hindu, *Mahabharata*, em que cinco irmãos se reúnem para ter uma aula de arco e flecha. O mestre amarra um peixe de madeira no alto de uma árvore, acima de um corpo d'água e pede a cada aluno, um por um, para assumir a postura de arqueiro e mirar no olho do peixe, enquanto olha para o reflexo dele na água. Quando cada um dos irmãos dava um passo à frente para atirar a flecha, o instrutor o detinha para perguntar: "O que você vê?".

"O céu, a árvore, a água...", diz o irmão mais velho antes de o instrutor interrompê-lo.

"O galho da árvore, o peixe...", diz o outro irmão, antes de encontrar o mesmo destino.

Quando chega a vez do irmão mais novo, ele responde, sem hesitar, "Eu vejo o olho do peixe".

"Atire!", diz o instrutor. E o jovem arqueiro atira a flecha e acerta bem no olho do peixe.

A moral da história é que, quando fixamos os olhos no olho do peixe, em vez de nos deixarmos distrair pelos galhos e pela água, ganhamos confiança para agir. Essa é a mesma confiança que você sentirá quando seu subconsciente vier à tona, para a sua consciência. É a mesma confiança que me impulsiona em direção à minha missão e que me permite vê-la e buscá-la com clareza. Você ficará focado, também, porque, como o irmão mais novo, não poderá errar. Há apenas uma flecha para disparar. Pegue-a e, ao fazer isso, descubra o propósito da sua vida. Deixe a luz guiá-lo e siga com confiança.

A propriocepção (ou cinestesia) refere-se à consciência da posição e do movimento do próprio corpo através do espaço. A propriocepção ocorre por meio dos proprioceptores, que são neurônios mecanossensoriais localizados dentro dos músculos, tendões e articulações. Esses neurônios formam uma rede elétrica por todo o corpo que nos permite entrar em contato com nosso sentido do equilíbrio, nossos reflexos e outras funções corporais. Aprendendo novos movimentos corporais como yoga, malabarismo, dança ou até escalada, você pode desenvolver ainda mais esses sentidos. Isso é o que tenho feito ao longo de toda a minha vida, praticando yoga, ganhando mais foco e consciência corporal, conseguindo desenvolver uma sintonia maior com o meu corpo, aprendendo a confiar na inteligência do meu corpo.

Outro sentido sobre o qual quero falar é a interocepção, que pode ser definida, em linhas gerais, como uma consciência do que está acontecendo dentro do nosso corpo. A interocepção é o que nos avisa quando estamos com fome ou saciados, com calor ou frio, ou quando precisamos ir ao banheiro. Existem até evidências de que ele pode ser apenas aquele infame "sexto sentido", o "pressentimento" que sabemos que devemos seguir.[1] Assim como existem proprioceptores em nossos músculos e articulações que detectam movimento, também existem receptores em nossos órgãos internos, incluindo nossa pele, que sinalizam sua funcionalidade para o cérebro. Por muito tempo também se acreditou que esse sentido, a interocepção, estava além do nosso controle consciente. Mas podemos influenciá-lo. Nossa mente pode ir a qualquer lugar do nosso corpo, tomar consciência do que está acontecendo ali e influenciá-lo.

Eis o que observei. Com o tempo, a exposição ao frio e a prática da respiração levam você a um estado mais sensível. Você passa a ser capaz de detectar processos internos sutis. A prática interoceptiva de observar o batimento cardíaco, apresentada no final deste capítulo, é uma ótima maneira de desenvolver essa habilidade. Eu mostrei que sou capaz de acionar a liberação de hormônios e manter a temperatura da minha pele apesar da exposição à água fria. Faço isso com minha mente, com a força da intenção. A crença na sua capacidade – a confiança –, combinada com o estado de alerta, coloca o corpo e a mente num estado de consciência intensificada. Essa consciência elevada ou foco interoceptivo se traduz num controle de cima para baixo sobre esses sistemas supostamente involuntários. Mas trata-se do poder da *própria* mente, não dos pensamentos ou do raciocínio. Quando aprende a acalmar a mente, você chega ao ponto em que consegue ativar internamente a atividade neural. É uma mudança que vai da consciência externa para a quietude, para a consciência interior, para o eu além do pensamento. Depois de definir sua atitude mental, você confia. Esse poder passa pelo cérebro pensante. Repito, é um sentimento, não um pensamento. E se eu posso suprimir uma reação adversa ao estresse da água fria na minha pele, pense nas aplicações mais amplas. O estresse, é claro, existe em muitas formas, mas, se podemos resistir a bactérias, vírus, estresse diário, traumas emocionais, o que quer que seja, também podemos entrar ali e neutralizar essas consequências bioquímicas. Isso mesmo. Você entendeu?

INTEROCEPÇÃO COM A RESPIRAÇÃO

Como você gostaria de treinar seu sentido da interocepção e aprimorar seu foco interoceptivo? Se você já está praticando o exercício básico de respiração, está no caminho certo. Esta prática de visualização o levará ao próximo nível.

1 Sente-se ou deite-se num local seguro e confortável e feche os olhos.

2 Respire normalmente, mas concentre-se na respiração. Encha os pulmões e solte o ar.

3 Agora, conscientemente, respire fundo pelo nariz e expire pela boca. Não force a respiração.

4 Visualize os pulmões e sinta conscientemente o oxigênio entrando nos pulmões. A interocepção está começando.

5 Respire fundo mais algumas vezes. Inspire pelo nariz, expire pela boca. A respiração é agradável e fácil.

6 Depois de respirar fundo mais algumas vezes, visualize a troca de gases no seu corpo. Visualize o oxigênio saindo dos pulmões, através dos capilares e entrando na corrente sanguínea, e visualize o dióxido de carbono deixando seu corpo, durante a expiração.

7 Se você notar que sua mente começou a divagar, simplesmente volte a se concentrar na respiração. Com o tempo, você aprenderá a ficar mais consciente e ter mais controle sobre sua mente e viver menos consumido pelos seus pensamentos.

8 Pratique este exercício por vários minutos.

Em 2018, numa matéria de capa da *Scientific American*, o dr. Jonathan Kipnis, neurocientista da Escola de Medicina da Universidade da Virginia, afirmou que "evidências crescentes indicam que o cérebro e o sistema imunológico interagem o tempo todo, tanto na doença quanto na saúde".[2] Nesse mesmo ano, em um artigo do *Journal of Experimental Medicine*, o dr. Kipnis escreveu que "gostaria de propor que o papel definidor do sistema imunológico é perceber os micro-organismos e entregar para o cérebro as informações necessárias sobre eles". A resposta imunológica, portanto, deve ser programada em nosso cérebro, o que torna o sistema imunológico, de acordo com Kipnis, também um sentido.[3] No estudo sobre a endotoxina, a prática do método nos permitiu suprimir uma reação à injeção de uma bactéria prejudicial, ativando assim uma resposta imunológica inata. Podemos, portanto, dizer que temos influência consciente sobre esse sentido.

Qualquer pessoa que desperte seus sentidos extras praticando o método é capaz de despertar e ativar conscientemente a capacidade do corpo de evitar doenças, tornando-o mais resistente. A capacidade está dentro de todos nós. É nossa. Basta fazer a respiração e a exposição gradual ao frio, e ver por si mesmo o que o método faz pela sua saúde física e mental.

Faça a respiração. A respiração é a força vital; ela vai permitir que você prepare sua bioquímica para que, quando o estresse ocorrer, você esteja pronto para lidar com ele. Agora você é como um jardineiro cuidando do seu jardim, que é o seu corpo. Quando as tempestades vierem ou os animais invadirem a sua cerca ou as pessoas passarem por cima dela, você pode restaurar seu jardim com o poder do seu foco interoceptivo. Esse é o poder da mente em ação. O que quer que esteja acontecendo em qualquer parte do seu jardim, você é capaz de ir lá e restaurar o que foi influenciado negativamente e desequilibrado, do ponto de vista bioquímico, causando um colapso chamado doença. Incrível, hein?

Isso é uma coisa linda, porque agora mais pessoas vão entender que fomos feitos para estar no controle, quando quisermos, mais do que pensávamos ser possível. Temos que restaurar essa consciência, o subconsciente vindo à nossa consciência, se quisermos nos curar e manter o equilíbrio bioquímico e a harmonia dentro de nós. Cada um de nós pode ser o jardineiro das belas flores da vida a cada dia. Eu comemoro as novas pesquisas e investigações científicas sobre essas ideias, especialmente entre os céticos, porque sei que elas servirão apenas para lapidar o diamante da verdade. Eu sei, no meu coração, que estamos no caminho certo. Esta é a minha missão, conforme foi claramente definido pelo meu próprio sentimento de confiança.

Eu quero que o diamante da verdade seja lapidado para que todos possam ver como ele é bonito, acessível, poderoso e eficaz. Podemos controlar nossa mente e nosso corpo. Podemos sentir o que está acontecendo dentro de nós e mudar isso. Venceremos esta guerra causada pelos terroristas internos: as bactérias, os vírus, a aflição, o estresse oxidativo, as emoções. Seja qual for a forma assumida pelo estresse, você é capaz de lidar com ele e restaurar sua saúde, sua felicidade e a força do seu corpo, porque você está em comunhão com a alma, com a força vital. E a força vital é boa. É a própria bondade. Aqui estamos. E nós somos um.

A mãe de Bagdá é a mesma que a mãe de Nova York ou de Pequim. Todas desejam o mesmo para seus filhos: que eles cresçam felizes, fortes e saudáveis. Esse é o melhor presente que você pode dar a uma criança ou a qualquer pessoa, porque o que mais poderia ser? Portanto, vamos voltar aos valores fundamentais da vida, com os quais nascemos, e cuidar do nosso jardim em paz. Não vamos investir na desesperança, mas na positividade, em estar presente, na convicção de que somos o comandante do nosso destino e os capitães da nossa alma. Depois de se tornar feliz, forte e saudável, você irradia como o sol e passa seu calor para as outras pessoas. Você se torna um agente de cura e há uma divindade nessa cura que transcende a linguagem e o dogma do nosso condicionamento social. Estamos aqui para compartilhar o amor com as mães de Bagdá, de Nova York, de Pequim e de qualquer outro lugar do mundo. Estamos aqui para dar paz, força, felicidade e saúde para todos os nossos filhos, porque isso é o que eles merecem. Mire o olho do peixe e atire a flecha.

Garanto que você não vai errar o alvo.

A INTEROCEPÇÃO DO BATIMENTO CARDÍACO

Neste exercício, vamos criar uma conexão consciente com o coração e o sistema circulatório. Como o batimento cardíaco é involuntário, poucos de nós prestam atenção a ele ou ao sistema circulatório que ele possibilita. Mas, se canalizamos nosso foco interoceptivo para o coração, podemos diminuir nossa frequência cardíaca durante os momentos de estresse, o que não só serve para aliviar esse estresse, mas também para melhorar a absorção de oxigênio e dos nutrientes dentro das nossas células. Veja como:

1 Sente-se ou deite-se num espaço seguro e confortável.

2 Relaxe.

3 Sinta e visualize seus batimentos cardíacos.

4 Conecte-se com seu batimento cardíaco e tente sincronizar sua respiração com o coração, para que você possa sentir seu batimento em todos os lugares.

5 Agora visualize seu sistema circulatório. Visualize que, a cada inspiração, o sangue rico em oxigênio flui dos seus pulmões para o coração e para todas as partes do seu corpo, através de uma rede de vasos sanguíneos que podem dar duas vezes e meia a volta ao mundo. Imagine seu sangue fornecendo oxigênio e nutrientes para seus órgãos e músculos, e transportando detritos (como o dióxido de carbono) para o fígado, os rins e os pulmões.

6 Reconecte-se com seu batimento cardíaco e tente sincronizar sua respiração com ele de novo.

7 Faça uma viagem pelo seu corpo e tente sentir o batimento cardíaco em diferentes partes dele. Se você se concentrar em sua mão, sinta o batimento cardíaco ali e, caso se concentre em seus pés, sinta o fluxo de sangue dos tornozelos aos dedos dos pés.

Essa prática conecta a sua mente e o seu corpo. Esse é o foco interoceptivo. Alguns minutos por dia é suficiente para ajudá-lo a aprofundar essa conexão e colher seus benefícios.

CAPÍTULO 13
Imerso na Luz Interior

Meu método é eficaz, mas eu não quero que as pessoas pensem nele como algum tipo de doutrina ou, em mim, como uma espécie de guru. Doutrinas e gurus são para aqueles que ainda travam seus embates com o ego, ao passo que a ciência – a verdade das coisas – não tem utilidade para o ego. Dados científicos sólidos não são especulativos. São reais, quer você acredite neles ou não. Com o método, encontrei uma verdade fundamental. Se você fizer A, isso resulta em B e, se fizer B ou C, o resultado será D. Está simplificado, fácil de entender e os resultados podem ser vistos e sentidos quase imediatamente. Eu procurei por essa verdade mais profunda durante anos. Li centenas de livros. Mas, quando entrei na natureza e encontrei o frio impiedoso, mas justo, isso me levou a uma compreensão profunda no mesmo instante. Em vez de ler a respeito, experimentei esse fenômeno por meio de uma compreensão além da linguagem, que acalmou minha mente. E então o frio me ensinou a respirar mais fundo. Eu me tornei um alquimista e descobri que poderia fazer coisas inimagináveis.

No começo escondi o que descobri de todos, porque estava com medo que me julgassem. Eu imaginei as pessoas me ridicularizando por entrar na água fria daquele jeito, me chamando de maluco, idiota. Quando finalmente criei coragem para me revelar, foi, é claro, exatamente isso que aconteceu. Todos me chamaram de louco e zombaram de mim. Pode ter certeza de que muitos ainda fazem isso. E sabe de uma coisa? Eles estão certos. Eu sou louco pela vida. Eu sou! Eu a amo! Como você se sente quando está apaixonado? Você é louco por alguém. Você se sente louco! Bem, eu sou louco pela vida. E por que digo isso? Porque eu vou além. Estou literalmente fora de mim. Estou presente em todo o meu corpo. Eu me sinto bem, forte e saudável, e capaz de manter esse sentimento. E agora, graças aos meus seminários, cursos e livros, tenho condições de mostrar ao mundo como todos podem se sentir dessa maneira também. Todos nós podemos ficar loucos juntos.

O objetivo deste livro é trazer várias novas ideias à luz e mudar a forma como percebemos a consciência, o potencial humano e a verdade da natureza, de modo que todos possamos ter felicidade, força e saúde. Podemos expressar esse conhecimento para aqueles que amamos, mas nossos genes também o expressam, beneficiando nossos descendentes. É um perfeito círculo virtuoso, que se perpetua através do amor, e que representa o ciclo da vida. Uma flor desabrocha e depois morre? Não, ela vive quando a próxima flor brota. Como Walt Whitman escreveu há mais de 150 anos, em "Canção de Mim Mesmo", "cada brotinho me mostra que, na realidade, a morte não existe". Ele estava certo na época em que escreveu o poema e ainda está agora. A energia continua indefinidamente e nunca se perde.

A flor é um símbolo. Ela não morre, apenas muda de forma. O mesmo vale para nós. Nossa energia retorna à terra, mas nosso conhecimento, nossa consciência permanece. Essa é a beleza. O método em si não pode responder às perguntas místicas do universo para você – *Por que estamos aqui? Qual é o propósito da vida?* –, mas reflete uma verdade através da qual você pode encontrar as respostas dentro de si. Nem todo mundo tem o mesmo propósito na vida ou os mesmos objetivos, mas o método pode ajudar você a mantê-los em foco. Certamente foi assim para mim.

Desde minhas primeiras explorações, o fato de enfrentar o frio me fez desenvolver uma grande consciência espiritual. Eu entrava na água fria, mas não sentia frio. Em vez disso, na quietude da água gelada, encontrava uma espécie de conexão com algo maior. É tudo uma questão de conexão. Você sabe o que a palavra "yoga" significa? *Yoga* significa conexão; o termo vêm do verbo *yug*, e *yug* significa "conectar". É isso que o autor dos *Yoga Sutras de Patanjali* escreveu a cerca de 1.600 anos atrás. E ainda vale para hoje. "Yoga é a inibição das modificações da mente, então o vidente está estabelecido em sua própria natureza", escreveu Patanjali nos Sutras 1.2 e 1.3.[1] Mas quem é o vidente? O vidente é a testemunha, a consciência pura. Se entende essa sentença, você não precisa ler todos os milhares de sutras que a seguem. Mas, se você não entende, você está numa enrascada. Terá que seguir todos os caminhos do yoga, aprender sobre os *chakras*, os *kleshas*, o *chitta vritti*, assim como eu. Todas essas coisas. Nenhum dos textos espirituais que eu tinha estava na minha língua, mas eu os li. Aprendi sânscrito. Sempre quis aprender outros idiomas e estava em busca do verdadeiro misticismo por trás do yoga real. Procurei um professor num templo hindu em Amsterdã. Embora eu não tivesse dinheiro para pagá-lo, ele gostou de saber que eu queria aprender. Meu objetivo era ler todos os *Yoga Sutras* e o *Bhagavad Gita*. Passei por tudo isso e ainda assim não consegui entender droga nenhuma. Foi um entendimento apenas intelectual. Mas num só instante, tantos anos atrás, o frio me ensinou a silenciar meus pensamentos. Comecei a respirar, profunda e automaticamente. Isso me levou ao poder do sistema nervoso, para aquela consciência pura, para a luz interior.

De acordo com a ciência, não temos controle sobre o nosso sistema nervoso autônomo – a parte mais profunda do nosso sistema nervoso. Mas eu desafiei essa crença. E também desafiei a crença de que é preciso praticar yoga por décadas para ter esse controle sobre o corpo. Nós mostramos, na Universidade de Radboud, que depois de apenas quatro dias de treinamento nas montanhas e seis dias de prática individual em casa, o sistema nervoso autônomo pode não apenas ser influenciado, como também acessado e ativado. Fizemos isso por meio das técnicas de respiração, por meio da retenção da respiração. Em sânscrito, a respirações para reter o ar são chamadas de *kumbhakas*: *bahya kumbhaka,* para expirar, e *antarik kumbhaka,* para inspirar. Os *Yoga Sutras de Patanjali* são uma obra excelente, mas, como a Bíblia, é em grande parte incompreensível, devido à sua linguagem antiquada. Porém, ela faz muito mais sentido para mim do que a Bíblia ou o Alcorão, porque não se trata de orientações subjetivas, códigos morais ou dogmas. Ela só mostra como o corpo e a mente funcionam. A yoga é uma técnica universal e ainda faz sentido hoje em dia. Nossa compreensão dela só precisa ser atualizada.

Isso é o que estamos fazendo. Atualizamos tudo por meio do escrutínio da pesquisa científica, portanto não há nenhum tipo de especulação. O método está bem equipado para servir e acalmar a neurologia da nossa mente, do nosso espírito contemporâneo e da sua experiência. Quando eu era mais jovem e saía em busca de uma verdade mais profunda, li as obras de todos os grandes yogues do passado e do presente, de Patanjali até Krishnamurti e Osho.

Ao ler Yogananda, descobri contos do lendário e imortal Babaji e, enquanto eu continuava a pesquisar, acabei encontrando as obras de Thomas Merton, Alan Watts, Gurdjieff, Ouspensky e muitos outros filósofos e pensadores extraordinários. Mas, apesar de absorver todo esse conhecimento e reconhecer sua sabedoria duradoura, eu simplesmente não conseguia entendê-los direito, em meu próprio espírito e em minha própria mente. Havia algo faltando que eu não conseguia identificar até encontrar isso na natureza e na ciência, que me ajudaram a entender o que eu estava sentindo.

Estou neste caminho há quarenta anos, mas, na verdade, foi só nos últimos doze anos que a comunidade científica começou a abordar essas ideias, demonstrando sua validade em pesquisas de laboratório. Alguns certamente continuarão a me menosprezar e zombar do que estamos fazendo, mas isso é problema deles, não meu. Estamos mostrando nossos resultados. Isso não é especulação. Como Patanjali escreveu, eu me tornei o vidente e vivo em minha própria natureza. Acredito no que vejo. Olho para o futuro da humanidade e sei com absoluta certeza que podemos mudar isso. Vamos mostrar que a alma, o amor, o poder, a força, a saúde e a felicidade são nossos e que todos o resto é besteira. Porque é. Vá além do seu condicionamento e perceba que isso é o que você nasceu para ser: 100 por cento vivo, consciente e no controle da sua mente e do seu corpo. Esse é o segredo da nossa iluminação coletiva. *Tat tvam asi*. Um pouco mais de sânscrito místico para você: "Assim és".

Há uma riqueza de conhecimento a ser encontrada em textos antigos em todas as culturas. E, por favor, mergulhe fundo. Trata-se de uma bela jornada, mergulhar na busca pelo conhecimento. Mas não deixe a mente aprisioná-lo. Aprendemos tantos dados desnecessários e suportamos tantos anos de uma educação obstinada e doutrinadora que nos privamos do nosso direito inato de "estar bem". Em vez disso, muitos de nós servem a um sistema que é poluente, explorador e insensível. Mas nós não temos que viver assim. É hora de despertarmos para nossos sentidos, para o nosso sentimento comum de amor, de proteger uns aos outros e de viver em harmonia com a natureza. Mantenha tudo muito simples e lembre-se de que o sentimento é a verdadeira compreensão.

Estou falando sério. Veja só, eu sou uma pessoa que costumava fazer festas de aniversário com escalada de árvores para as crianças da vizinhança. Quando menino, brinquei de Tarzã nos bosques perto da minha cidade natal. Excursionei pela Europa Ocidental de bicicleta e pelos cânions da Espanha com cordas amarradas na cintura. Eu ponderei e filosofei. Li muitos livros, mas estava procurando outra coisa, um sentimento. E então entrei na água. Essa foi a minha paz, o meu consolo. Senti uma conexão – um *Eureka!* – e ela estava na água gelada. Eu senti. Você poderia chamar de espiritualidade ou transcendência ou qualquer outra coisa do tipo, mas para mim o importante foi o modo como me senti. Não precisava de uma palavra, porque eu sabia o que era.

Cada um de nós é guiado por uma voz interior ou um sentimento como o que acabei de descrever, uma orientação sem voz dentro de nós. Às vezes, em meio a todo barulho, estresse e preocupações diárias – contas e hipotecas, filhos e relacionamentos, trabalho e horários, política e religião –, pode ser difícil nos conectarmos com essa voz, mas ela está lá, conectada à nossa neurologia. Sempre esteve lá e nos mostrará o caminho se deixarmos.

No entanto, fomos doutrinados a acreditar que temos que resolver nossos problemas por meio dos nossos pensamentos, por meio da indução e do escrutínio de perguntas e respostas, de ideias, quando tudo o que realmente temos que fazer é ouvir o que a natureza está nos dizendo. O que a nossa verdadeira natureza está nos dizendo.

O mundo moderno é como um símbolo do infinito ou fita de Möbius, uma pista de corrida em *looping*, que continua indefinidamente e não é boa para nós, porque não podemos descer do cavalo. Mas que droga, cara! Nós *somos* o cavalo. No fundo, porém, nós apenas queremos *existir*. Sem o barulho de vozes externas, sem as distrações da vida. Apenas existir e sentir contentamento na quietude da vida, com nosso sangue fluindo para as partes mais profundas do nosso cérebro – o cérebro do mamífero primitivo –, como uma criança que ainda não aprendeu a se expressar em palavras e está apenas sentindo, percebendo as coisas com os sentidos. É como estar apaixonado. Enquanto a sua mente consciente está aparentemente sempre presente, o amor ativa as partes mais profundas do cérebro e permite que você não pense, mas voe, sinta-se vulnerável. Entregue-se ao poder que ele exerce, por mais ilógico que possa parecer, porque, como dizem, o coração tem razões que a própria razão desconhece. E eu não sei disso?

EXPERIMENTO nº 5 DO MÉTODO WIM HOF

RESPIRAÇÃO PARA CONTROLE DO ESTRESSE

O estresse é o grande assassino da nossa sociedade ocidental – a agitação mental, a sobrecarga de trabalho, a exigência de se cumprir prazos. Prazos impossíveis! O estresse desregula nosso organismo. Você pode descobrir se está estressado contando quantas vezes respira por minuto. Experimente contar agora usando um cronômetro. Se está respirando de quinze a vinte vezes por minuto, você está estressado.

Para aliviar o estresse, basta um minuto cantarolando e respirando. Isso sempre funciona para mim. Isso faz que você se conecte com seu sistema nervoso parassimpático – onde a paz mora dentro de você – e acalma seu agitado sistema nervoso simpático. E é como uma massagem para a sua coluna, que você faz de dentro para fora, desde o tronco cerebral e o centro da cabeça. A respiração leva você diretamente para dentro do seu corpo.

1 Prepare o cronômetro para marcar um minuto.

2 Sente-se num lugar confortável.

3 Inspire profundamente.

4 Expire exalando um som como "Hum", "Ahhh" ou "Om". Faça qualquer som que o deixe feliz.

5 Quando ficar sem ar, inspire profundamente e solte outro som.

6 Continue até que o cronômetro pare.

Quantas vezes você respirou nesse minuto? Talvez quatro, cinco, seis vezes? Bom.

Eu escrevi no Capítulo 3 que o cérebro do homem ou da mulher modernos apresenta um fluxo sanguíneo significativamente menor em suas partes mais profundas do que o cérebro dos nossos ancestrais pré-históricos. No entanto, se pudermos direcionar conscientemente nosso fluxo sanguíneo para essas partes mais profundas, para o sistema límbico (que, como eu mencionei, comanda a memória e a emoção), para o tronco cerebral e para a substância cinzenta periaquedutal, nosso cérebro não só sobreviverá, mas florescerá, como se fosse irrigado como uma flor. Seria como o deserto após a chuva. De repente, em alguns dias, tudo está colorido. As sementes da vida estavam no solo o tempo todo. Como, então, trazer essa água da chuva, esse fluxo sanguíneo, para essa parte do cérebro em que você sente e vivencia o mundo além dos pensamentos costumeiros? O mundo eterno. Como deter o cavalo?

Eu vou lhe dizer o que eu faço. Sigo minha voz interior e ouço o que ela me diz. Confio no sentido da minha alma e deixo que ela me guie. Eu ignoro o meu ego, da melhor maneira que posso. Sei que vai fazer frio de manhã e que aqueles primeiros segundos na água fria vão ser desagradáveis, porque meu ego me diz isso. Mas minha voz interior me diz para entrar nessa água fria, porque ela está me chamando para abraçar cada pedacinho do meu ser. Isso me diz que entrar na água fria é saudável e a coisa certa a fazer, enquanto meu ego continua a argumentar o contrário, mesmo depois de todos esses anos. É como o anjo e o diabo proverbiais, sentados em meus ombros, sussurrando em meus ouvidos, enquanto fico preso no meio. O segredo é saber qual é o anjo e qual é o diabo. A maioria das pessoas não consegue fazer essa distinção, ou não quer, porque a verdade é incômoda. Elas não querem sair do caminho de terra batida, porque encontraram conforto em seus contornos previsíveis. Preferem racionalizar em vez de sentir, porque o sentimento as torna vulneráveis. Não podem controlar o resultado. Não podem explicar os sentimentos com palavras.

    Mas eu, eu nem mesmo reconheço o caminho de terra batida. Sou um cavalo selvagem. Não corro em pistas de corrida. Sou indomável. Sigo a minha voz interior, a mesma voz que me conduziu às águas frias do Beatrixpark, anos atrás. Todo dia eu sigo essa voz de volta para a água e sei que é bom. Assim que eu entro, a natureza nobre do frio me atinge com toda a força da terra e se torna um toque terno, muito íntimo. Sei que vou conseguir gerar de três a quatro vezes mais energia depois de fazer isso. Porque, quando entro no frio, nas partes mais profundas do meu cérebro, como o tronco cerebral, que rege o instinto de sobrevivência, ele recebe fluxo sanguíneo. E isso ativa o resto do meu corpo. É como uma ativação. E, quando saio da água, sinto-me vivo, como se tivesse passado por um renascimento.

    O corpo humano está bem equipado para suportar a exposição gradual à água gelada. A água nos oferece uma maneira de lidar com o estresse, mental ou físico, de qualquer tipo. Pode ser doloroso no começo, mas você aprende a se adaptar a ela e então, por fim, você realmente começará a amá-la. Começa a amar esse estresse e o que ele faz por você. Esse tipo de estresse hormonal é estimulante e benéfico. E ajuda a proteger o corpo, em nível celular, de outros estressores, sejam quais forem. Bactérias, vírus, estresse emocional, estresse no trabalho. A ansiedade intensificada pelo congestionamento, sentado ali, todos os dias, incapaz de lidar com esse estresse, ficando irritado.

Se você entrar na água fria com regularidade e aumentar aos poucos sua exposição, mecanismos de proteção em seu corpo e em sua mente serão ativados e vão aliviar o estresse. Claro, siga os protocolos conforme descritos no Capítulo 3: trinta segundos, quarenta e cinco segundos... você entendeu. Precisa ir aumentando o tempo até ficar um minuto inteiro no frio, depois dois etc. Depois que você supera o choque inicial e se acalma, o estresse vai embora. Não há chefes tirânicos ou divórcios dolorosos no banho gelado. A água fria é quem manda.

O frio abre caminho para a espiritualidade da mente, para uma calma que lhe dá possibilidade de enfrentar qualquer outro estresse. É uma espiritualidade que existe além do ego e ampara a alma. E é forte. Foi isso que eu encontrei no monte Everest quando estava perdido naquela imensidão branca, usando apenas um *shorts*. Não havia mais ninguém por perto, estava muito frio e havia pouco oxigênio. Mas, apesar de tudo isso, continuei calmo. Eu não senti estresse e isso foi por causa da minha mente. Eu havia passado da "zona da morte", na montanha mais alta do mundo. Vestindo nada além de um *shorts*, me perdendo no caminho e sem conseguir ver nada na minha frente. Meu pé esquerdo estava congelado. Mas eu não estava com medo. Não estava ansioso. Eu ganhei controle. Num momento em que tudo estava aparentemente fora do controle, minha mente assumiu o controle, através da respiração.

Você não precisa subir o Everest e passar pela zona da morte para se sentir fora de controle. A vida pode ser cheia de tumulto e incerteza. Nós desenvolvemos a capacidade de lançar foguetes e levar pessoas à Lua, mas não somos capazes de encontrar nossa própria felicidade, força e saúde? Que miseráveis, na verdade, somos... Como temos pouco controle...

Você está no comando? Está vivendo de acordo com a luz da sua alma? Sua vida está fazendo sentido para você? Não? Bem, o estado espiritual da sua mente está bem aqui. A alma também. Respire. Relaxe no frio. Faça o sangue e a eletricidade fluírem. Sinta. Compreenda além das palavras. Saiba interiormente. O espírito está dentro de você. Basta se abrir para ele e direcionar sua luz para os outros.

Isso é amor.

Eu digo sem ego. Vamos lá. Nós nos conectamos uns aos outros através do amor e do compartilhar. Essa espiritualidade é inerente a nós e ao nosso sistema neurológico inato, mas de algum modo perdemos nossa capacidade de encontrá-lo, como as pessoas da história em que os sábios decidem onde colocar a alma. Antes de morrer, quero provar pela ciência que, na verdade, é bem fácil ver e sentir a presença da sua alma, ver e sentir e perceber o propósito de tudo. É onde o Oriente, o caminho do coração e o Ocidente, o caminho da mente, se encontram. Mas não apenas Oriente e Ocidente, mas Norte e Sul, em cima e embaixo. Essa é a encruzilhada do cosmos, o *bindu*, onde toda a criação começa, onde residimos dentro do universo. Mas sejam quais forem os símbolos, vamos além da religião e, em vez disso, confiamos na ciência para mostrar o caminho. Se você quer alcançar a espiritualidade, encontre o caminho da luz. Temos as ferramentas fazer isso agora, para nos purificarmos e aprendermos a controlar e direcionar a luz interior. Em direção a quê? Em direção à *moksha*, liberação, *samadhi*, o *prima*, liberdade. Despertar para o fluxo da nossa energia sutil, *ki, qi, prana*. Está tudo aí para você, se quiser ser livre.

Mas o que é liberdade para você? De quanta liberdade você precisa? Você fica bem apenas sendo livre nos finais de semana? Você tem tempo para usufruir da sua liberdade?

O poder da mente é incrível. Ela comanda o corpo e todos os sentidos. Ela é capaz de comandar o que é visto e o que não é, o visível e o invisível. Não somos apenas mamíferos que pensam. Temos consciência, a tendência natural para transcender o ego e transformá-lo em algo mais. É por isso que estamos aqui. Os sistemas espirituais em todo o mundo reconhecem uma energia sutil dentro de nós, a eletricidade que flui pela espinha e por todo o nosso corpo.[2] Equilibrar esse fluxo e aproveitar seu poder é o propósito de práticas como o yoga e o *qi gong*. Mas é você quem decide até onde vai. Você quer paz em sua mente? Respire fundo e leve embora o estresse. Você quer entrar na mais mística das tradições e colher seus frutos? Esqueça a ideia de estudar idiomas difíceis e viver numa caverna por vinte anos. Apenas respire sentado no sofá pela manhã, antes do café.

Inspiração significa encher os pulmões de ar. *Inspirare*. Espírito. Vida. As pessoas ficam preocupadas em saber se estão respirando certo. Elas acham mais simples se for preciso que façam algum esforço. Elas me perguntam: "Como você faz isso, Wim? É com o nariz ou com a boca? Eu respiro com a barriga, o diafragma? Ou tenho que fechar uma narina e depois a outra? Encho os pulmões até o fim ou não muito muito, ou... ". E eu digo: "Não importa que tipo de buraco você use, é só fazer o ar entrar!". Vá com calma. Não pense muito sobre essas coisas, apenas inspire. Com a barriga, o peito e a cabeça – e solte o ar. Deixe tudo bem simples. Algumas pessoas vivem tanto na cabeça que precisam reaprender a sentir, a treinar o sentido interoceptivo da sua experiência interior. É por isso que dizemos que os iniciantes devem começar a respirar pelo nariz, para que não ultrapassem os limites do corpo. O corpo quer nutrientes, oxigênio, vitaminas, e quer luz. A respiração inflama nossa eletricidade interior. Ela conecta nossa consciência com a natureza, com tudo o que existe. Isso é libertação e podemos fazer isso conscientemente. Não é incrível? Você pode fazer isso com apenas vinte minutos de respiração. Dentro do intervalo de tempo de vinte minutos, você pode experimentar a atemporalidade e compreender a eternidade. Basta estar com a luz conscientemente e qualquer estresse vai embora. Você transcende seus pensamentos. Não há mais dúvidas. Você se torna tudo e se mantém aqui e agora.

A respiração e o frio levam você às profundezas do seu ser.

Sei por experiência própria que o método da respiração nos dá meios eficazes para acabar com todos os nossos traumas emocionais, bloqueios, inibições e medos. Como eu disse no Capítulo 4, se você fizer a respiração Wim Hof junto com um grupo, a experiência é intensificada. A humanidade nasceu para viver em tribos. Ainda somos tribais. O simples ato de respirarmos juntos permite que as emoções venham à tona com mais rapidez. É essa simplicidade que abre espaço para um estado de espírito sem julgamentos, que acena para uma vulnerabilidade compartilhada. Quando trabalho com grupos, posso sentir a relutância das pessoas para permitir que as emoções venham à tona, mas, quando a energia aumenta, ela cria um efeito dominó: uma pessoa chora, outra ri, outra grita e está tudo bem naquele momento, pois o momento é sustentado pelo grupo.

A respiração por si só é uma técnica de transformação que tem potencial para mudar o modo como abordamos a saúde mental, pois confere ao praticante um senso de controle que é nosso por direito nato: o controle da mente e do coração, que se abrem para alimentar o cérebro com um amor e poder que não devem ser reprimidos. Essas técnicas de respiração são tão simples e eficazes que tudo o que você precisa fazer para reivindicar seu destino genético é apertar o botão. Essa é a sua mente. A princípio você se purifica com a respiração e o frio, alcalinizando seu corpo e reduzindo a inflamação. Você condiciona seu fluxo sanguíneo a chegar às profundezas do cérebro. Então você pode usar a respiração e o poder da mente para limpar suas emoções passadas e seus trauma. No antigo yoga, esses são os *chitta vrittis* (pensamentos que distraem) e os *kleshas* (emoções venenosas). Você os purifica com o prana (energia) que flui através de seus chakras (centros de energia), situados desde a base da coluna até o topo da cabeça, ao longo de três canais chamados *ida, pingala* e *sushumna*.[3] E assim por diante. Com o método, desmistificamos tudo isso e atualizamos essa filosofia, ajudando a trazer a ciência do yoga para a era moderna.

UNA-SE À LUZ:
O EXERCÍCIO "ESTROBOSCÓPICO"

Belo ser, bela alma, você gostaria de iluminar a sua consciência? Venha, deite-se aqui no sofá. Você está confortável? Sente-se bem? Ei, o que você fez esta manhã? Você disse que acordou? Eu fiz a mesma coisa! Uau, universos paralelos. Você diz que tem estresse, tensão, toda aquela merda mental? O que quer que esteja pensando, eu não me importo. Deixe para lá. Deixe para trás. Agora, tudo o que você precisa fazer é relaxar e respirar. Apenas solte tudo e entre nessa respiração. Todos nós somos trabalhadores da luz. Trabalhe com a luz e seja livre.

1 Sente-se numa posição relaxada e confortável.

2 Feche os olhos, siga sua respiração, testemunhe-se enquanto se acalma.

3 Basta olhar para o que você vê com os olhos fechados. Não tente ver nada em particular. Seja paciente. Desse modo, a sua energia é capaz de se desconectar da percepção externa do córtex visual e ir para os reinos mais profundos do cérebro.

4 Continue acompanhando sua respiração e volte seu foco interno para o centro da sua testa, o "terceiro olho". Você pode ver um halo luminoso que pulsa à medida que você inspira, expira, inspira, expira, como a luz piscante de um estroboscópio. Você talvez sinta que quer olhar mais diretamente para ela, mas assim você vai tirar a intensidade da experiência. Aprenda a deixar ser. Essa é uma maneira fenomenal de observar sutilmente a atividade neural do seu cérebro.

Depois de obter mais familiaridade com essa meditação, tente adicionar o foco no centro da testa ao Exercício Básico de Respiração. Você pode começar a ter experiências espontâneas da sua luz interior.

EPÍLOGO
Como Mudar o Mundo

Somos liderados por diretores e presidentes e reis e rainhas por muito tempo, mas as coroas pertencem a nós. Somos todos reis e rainhas, e devemos nos comportar como tal. Devemos ter orgulho. Seu reino, claro, é você mesmo. Não há nenhum castelo. *Você* é o castelo. O universo está contido dentro de você e você é capaz de fazer coisas extraordinárias.

Este é o chamado da natureza para o momento, onde o passado e o presente convergem nas profundezas do nosso ser, para nos mostrar um caminho a seguir. O que você pensa? Como está se sentindo? Está animado para explorar as profundezas do seu próprio ser, ampliar a sua consciência e assumir o controle? Por quê? O que você quer fazer com esse poder? O que fará com a abundância que aguarda dentro de você?

Para estar no controle dessa emoção chamada vida, da forma mais pura, você precisa experimentá-la através das lentes do amor. O amor vai abri-lo para o poder da sua mente e de repente você se verá diante do abismo da sua experiência, sentindo uma alma que você não pensou ser acessível, quanto mais controlável, como se fosse algum tipo de coisa abstrata. Consumido pela realidade e pelo estresse da vida diária, você nunca parou para pensar em nenhuma dessas noções. Sim, talvez num sábado você pudesse se sentar e ponderar um pouco, com um bom copo de vinho na mão, contemplando a filosofia e o que quer que esteja acontecendo no mundo, mas, na manhã de segunda-feira, você estará pronto para trabalhar novamente e o estresse começará de novo. Mas estou aqui para contar a você que não tem de ser assim. O verdadeiro espírito, a verdadeira experiência da sua mente e do seu corpo é de felicidade, força e saúde. O método permite que você obtenha o controle de uma mente ilimitada, que abre seu olho consciente e traz a luz para o lugar ao qual ela pertence, bem aqui, bem agora, em todo o seu esplendor. Isso é quem você é. É assim que você encontrará não apenas paz, mas bem-aventurança. Sim, a respiração é uma porta. Mas o amor dá as boas-vindas a você e abre passagem para você entrar.

Críticos e céticos dirão, é claro, que vivo com a cabeça nas nuvens, que eu deveria ser mais prático, deveria ficar simplesmente de boca fechada. Mas como posso ficar quieto se estou na sede da mente? Estou enviando esses sinais para os hemisférios, para o mundo etérico, para o passado. A expressão da alma transcende nossos conceitos de tempo e espaço. Ela está bem aqui, agora. Passado, presente e futuro são uma coisa só e você pode acessá-los como se fosse a uma biblioteca e escolhesse um livro. Você pode fazer uso dessa biblioteca a qualquer momento, porque ela é sua. Sempre foi sua. É seu direito nato ser feliz, forte e saudável. Seu destino está nas suas mãos, meu amigo, e você pode encontrá-lo na respiração.

No curso natural da prática do método, você irá, com o tempo, ver a luz. Você será atraído pela energia dela. E, se seguir o fluxo dessa energia com convicção e amor, poderá ignorar e transcender todas as escrituras e seus dogmas repressores. Você pode existir fora do tempo. Pode explorar todas as partes do seu cérebro, libertar os espíritos do passado, limpar o seu DNA e, dentro do fluxo ininterrupto da sua própria neurologia, livrar-se da escuridão para sempre. Você é a testemunha, o vidente, como Patanjali escreveu há quase dois mil anos. Você pode silenciar as modificações da mente consciente e habitar dentro da sua própria natureza. Então, o que está esperando?

Nossa mente é como um cão amarrado a uma árvore. Ou como uma criança a quem disseram para ficar quieta e calada. Essas restrições vão contra a nossa natureza. Os cães precisam correr livremente, assim como as crianças precisam de liberdade para brincar e explorar o mundo. O mesmo vale para a nossa mente. Quando libertamos nossa mente da escravidão do dogma, do estresse da existência diária e dos nossos limites percebidos, podemos vislumbrar um novo mundo onde o amor e a harmonia com a natureza prevalecem. A evolução nos tornou os seres humanos que somos, mas, depois de duzentos mil anos, a humanidade ainda não encontrou seu lugar na ordem natural. Isso é porque vivemos num mundo marcado pela guerra, pela pobreza, pela fome, pelas doenças e pelo sofrimento. Estamos tão ocupados tentando sobreviver que perdemos de vista nossa própria consciência. Saímos da luz, propositadamente, e entramos no caos. Isso é insustentável.

Mas agora chegou a hora de recuperarmos o que perdemos, para que possamos aproveitar a consciência e direcioná-la de volta para a luz e redescobrir a alma. Essa pode ser nossa revolução. Nosso propósito pode ser espalhar o amor e a felicidade por toda parte, levar paz por meio da ação consciente e retornar a um estado de harmonia com a natureza a partir da qual nós evoluímos. Essa natureza está dentro de nós e sempre esteve contida no DNA da primeira célula viva. É assim que vamos mudar o mundo, uma alma de cada vez, alterando a consciência coletiva e despertando para nosso próprio potencial ilimitado. Somos limitados apenas pelo alcance dos voos da nossa imaginação e pela força da nossa convicção.

É de fato tão simples assim? Sim. Estamos agora no limiar dessa compreensão maior. Nossa mente nos levará numa jornada em direção à verdadeira autorrealização, na qual vamos converter o subconsciente em consciente e a alma em luz. Pode demorar um pouco, mas somos nós. Isso é o que deveríamos ser. Você consegue ver? Consegue sentir? Se não consegue, ou se estiver com medo do que poderá encontrar (ou não encontrar) dentro de você, apenas coloque sua fé no método. Tome um banho gelado. Faça a respiração. Ative seu sistema vascular. Mude sua bioquímica. Siga a respiração. Pratique o método. A respiração vai a todos os lugares e ela o levará aonde você precisa ir.

Deixe de lado o seu ego e, em vez disso, reflita sobre aquilo que nos conecta, que é o amor. Deixe de lado seus pensamentos e seu estresse e abra-se para o seu coração. Só quando você se solta é que realmente é capaz de se reconectar com o universo, com a natureza enterrada profundamente dentro das suas células. Deixe ir e permita que sua alma "venha à tona", para a sua consciência. A alma é eterna, indestrutível e talvez o mais importante, incorruptível.

Deixe-se levar e se torne o rei ou a rainha que você deveria ser. Eu sei que consegue. Eu acredito em você.

Agradecimentos

Este livro foi um universo em si mesmo. Tantas figuras lindas desempenharam seu papel. O diamante das profundezas, destilado num livro, cuidadosamente lapidado e, finalmente, exibido.

A Tami Simon, da Sounds True, por reconhecer que precisamos ir fundo e, portanto, tornou possível que chegássemos às profundezas das pessoas.

Ao produtor Mitchell Clute, pelo talento de receber, como o leito de um rio – um verdadeiro poder natural. Ao editor Mark Weinstein, que canalizou o fluxo em segmentos poderosos, nutrindo o solo com intenção cristalina. A Jennifer Yvette Brown, que vagou pelo labirinto das palavras e transformou pedras em flores, abrindo os olhos de todos que trabalharam no livro, dando um toque mais leve aos assuntos mais pesados. Erin, que me conhece melhor do que eu mesmo, que me trouxe uma nova vida e deu profundidade ao livro por meio de um escrutínio meticuloso. Ao meu filho Enahm, com suas asas protetoras; à minha filha Isa, com seu toque de ternura, mas cheio de determinação. A todos da Hoffice e da Sounds True. Todos vocês que trabalharam com a paciência de monges num mosteiro – sacralizaram a energia. Minha gratidão a todos.

Não posso deixar de mencionar todos os professores e médicos dedicados por trás dos estudos e ideias inovadores: dr. Ken

Kamler, dr. Peter Pickkers, dr. Matthijs Kox, dra. Maria Hopman, dr. Geert Buijze, dr. Vaibhav Diwadkar, dr. Otto Muzik e muitos mais. O trabalho desses cientistas nos mostraram um novo horizonte absoluto do que os seres humanos são capazes. Eles são buscadores, ajudando a levar à luz o que estava oculto. E há mais para vir. Eu confio nos meus instintos, que sabem mais do que a minha consciência é capaz de ver. Isso é exatamente o que quero mostrar neste livro, algo que é invisível, mas muito forte.

À dra. Elissa Epel, que encantou meu coração ao escrever a apresentação deste livro. Uma cientista brilhante e uma luz absolutamente brilhante que está levando o Método Wim Hof a um novo patamar.

Para a comunidade do Método Wim Hof – do fundo do meu coração, eu agradeço. Sou grato não só pelo apoio, mas por darem a alma nesse trabalho. Vocês são a alma deste movimento. Vocês são o coração. Todas as pessoas que conheci ao longo dos anos, todas as histórias – elas me fazem sorrir ao pensar nelas. Nos encontramos no amor.

E a você, meu caro leitor, eu agradeço. É hora de irmos para casa, onde reconhecemos nosso verdadeiro ser juntos. Felicidade, força e saúde são os valores morais do nosso ser, e eles estão de volta.

Por último, mas não menos importante, para Zina, minha sombra marrom, minha cachorra, minha guru. Ele é a personificação da lealdade, da cordialidade, do amor incondicional e da abnegação. Nas montanhas, ela é três vezes mais rápida do que qualquer um de nós. E só quer ser cuidada. E eu só quero cuidar dela. Eu me importo com você. Cuidamos um do outro.

Sem dúvida, este é apenas o começo.

Perguntas Mais Frequentes

ASSUNTOS GERAIS

Quanto tempo preciso investir para ver os resultados desse método?

O investimento médio diário é de vinte minutos no início do dia. Consulte "MWH Em Resumo: Três Pilares De Uma Prática Diária", na página 126. Desenvolva a prática completa em seu próprio ritmo e encontre sua maneira própria de aplicar o método em sua vida diária, integrando naturalmente os exercícios deste livro à sua rotina de exercícios ou meditação. Por exemplo, você pode se concentrar numa respiração mais profunda e consciente a qualquer momento, ao longo do dia. O método deve ser praticando no seu dia a dia, para que você possa colher todos os benefícios.

O WHM pode ajudar a amenizar meu problema de saúde?

Como o Método Wim Hof modera a resposta imunológica, ele é mais eficaz em casos que se originam de uma perturbação ao sistema imunológico. No entanto, resultados positivos foram observados numa ampla variedade de condições. Embora o Método Wim Hof tenha recebido o crédito de causar a remissão completa dos sintomas em alguns casos, as práticas do WHM devem ser vistas como ferramentas para ajudar a controlar a saúde, não como um tratamento em si.

Várias pesquisas científicas tem sido feitas sobre o Método Wim Hof e seus efeitos sobre vários problemas de saúde. Os resultados são muito promissores, e outras pesquisas ainda estão em vias de publicar suas descobertas. Existem, no entanto, centenas de milhares de condições e doenças. No que diz respeito à maioria delas, não temos o conhecimento necessário para falar com autoridade sobre o potencial do MWH como um tratamento eficaz. Observe também que os resultados variam muito de pessoa para pessoa, devido a diferenças pessoais e fisiológicas. No final das contas, a melhor – e, na verdade, a única – maneira de descobrir o que o Método Wim Hof pode fazer por você, pessoalmente, é experimentá-lo. A prática do MWH também pode impactar negativamente alguns problemas de saúde. Se você tem uma doença crônica ou está doente neste momento, consulte um médico antes de iniciar a prática do Método Wim Hof.

Este método é para todos?

O Método Wim Hof pode ser praticado por qualquer indivíduo saudável. Ouça seu corpo e nunca se force a executar as práticas. Aconselhamos a não praticar o MWH se você estiver enfrentando qualquer um dos problemas enumerados a seguir:

- Epilepsia
- Pressão alta (especialmente se você estiver tomando um medicamento prescrito pelo médico)

- Doença cardíaca coronária (por exemplo, angina pectoris, angina estável)
- Um histórico de problemas graves de saúde, como insuficiência cardíaca ou derrame
- Se você sofre de enxaquecas, recomendamos que tenha cuidado ao tomar banhos gelados.

Posso praticar o WHM se estiver grávida?

Por precaução, também desaconselhamos a prática do MWH durante a gravidez. Não sabemos se as mudanças na bioquímica provocadas pelas técnicas do MWH afetam negativamente a saúde do bebê. Depois que o bebê nascer, você pode retomar a prática do método com segurança.

O MWH é adequado para crianças?

Muitas famílias gostam de praticar o método WHM juntas. Porém, o cérebro das crianças ainda está em desenvolvimento e não está equipado com a autorregulação necessária para avaliar quaisquer riscos associados ao método. Assim, aconselhamos que crianças menores de 16 anos sejam supervisionadas por um dos pais ou responsável legal, e nunca sejam obrigadas a praticar o método contra a vontade. Por favor, tenha cuidado com respeito à exposição ao frio e vá aumentando essa prática gradativamente.

FRIO

Eu odeio passar frio. Tenho mesmo que tomar banhos frios?

Se quiser receber os benefícios do método, sim. Ficar na nossa "zona de conforto" enfraquece nosso organismo e acaba nos prejudicando. Mas faça isso gradualmente. Aproveite seu banho quente e vá aumentando seu tempo de exposição ao frio no final do banho, quando se sentir preparado. Nunca se deve forçar a fazer nada nesse processo.

E se eu continuar sentindo frio depois do banho frio?

Em primeiro lugar, reduza o tempo que passa no banho frio. Comece com apenas 15 segundos e aumente o tempo aos poucos, para se adaptar à exposição ao frio, assim como você faria com qualquer treino mais extenuante. Seu corpo logo começará a se aquecer mais rápido após as primeiras sessões de exposição ao frio.

Você também pode usar as práticas deste livro relacionadas à atitude mental para se programar antes e depois do banho frio, usando o poder do mente para permanecer no controle das reações do seu corpo e para manter sua motivação.

Por fim, a prática do exercício da postura do cavalo ao sair do chuveiro vai aquecê-lo de dentro para fora e ajudá-lo a manter o foco.

Eu moro num lugar em que a água do chuveiro não é tão fria. O que devo fazer?

Verifique a temperatura da água fria da torneira. Os benefícios do método para a saúde começam aos 15 graus Celsius, então é provável que água esteja fria o suficiente. Você pode experimentar estender um pouco seu tempo de exposição ao frio se a temperatura da água cair na sua região.

Existe algum benefício comprovado em alternar duchas quentes e frias?

A exposição ao frio aumenta a liberação de norepinefrina, um neurotransmissor relacionado ao foco, à atenção e ao humor. A norepinefrina também atua como um hormônio, promovendo a vasoconstrição e, assim, diminuindo a área de superfície total pela qual o calor é perdido para o ambiente. Quanto maior o salto na temperatura, mais norepinefrina é liberada. Portanto, ir da ducha quente para a fria repetidamente pode aumentar os benefícios recebidos desse neurotransmissor. O efeito é mais pronunciado com oscilações mais extremas, como alternar o banho gelado e a sauna. A prática de alternar banhos quentes com a exposição ao frio é uma prática consagrada pelo tempo em muitas culturas, mas faltam pesquisas sobre o assunto, assim como achados conclusivos.

RESPIRAÇÃO

Quantas vezes por dia devo fazer o exercício básico de respiração?

Recomendamos o padrão de três a quatro rodadas pela manhã, antes do café da manhã, como uma prática regular. Experimente uma rodada no meio da tarde, se sua energia começar a diminuir.

Qual a importância de aumentar o tempo de retenção da respiração?

O tempo de retenção estendido não é necessário para receber os benefícios do método para a saúde. Se você perder a consciência ao prender a respiração, isso é sinal de que está levando a prática longe demais. Inspire assim que sentir vontade. Ouça seu corpo, não o ego!

É necessário tomar banho frio logo após os exercícios básicos de respiração?

Não, mas fazer a prática de respiração primeiro pode melhorar sua atitude mental e tolerância ao frio. Se você não puder tomar um banho logo depois, pode fazer um miniexercício de respiração antes de entrar no banho frio – trinta respirações profundas enquanto se concentra em sua intenção.

Meus dedos se contraem durante os exercícios de respiração – por que isso acontece?

Você pode sentir uma contração muscular involuntária, conhecida como "tetania". A respiração intensificada causa um efluxo de CO_2, que por sua vez inicia uma sucessão de mudanças de ionização, que levam ao aumento da sensibilidade das células nervosas. Essas células, portanto, requerem menos excitação para gerar uma resposta muscular, o que faz que os músculos possam se contrair espontaneamente. O efeitos são normalmente expressos de forma mais evidente nas mãos e nos pés, mas podem se estender por todo o corpo.

Se não houver nenhum problema de saúde preexistente, esse fenômeno é totalmente inofensivo e os efeitos se dissipam em minutos. Com o tempo, pode não ocorrer mais. Se a sensação for dolorosa, consulte um profissional de saúde.

Meus ouvidos ficam zumbindo após a prática de respiração, isso é normal?

Este efeito é conhecido como "tinnitus", uma condição com uma ampla gama de causas e manifestações. Para algumas pessoas, a prática do MWH induz ou aumenta o zumbido, enquanto para outros muda seu tom. Por outro lado, aqueles que têm um zumbido crônico muitas vezes encontram alívio na sua ansiedade concomitante, graças ao efeito calmante das técnicas de respiração.

A conexão entre o zumbido e o Método Wim Hof tem várias causas possíveis. A pesquisa médica mostra uma ligação direta entre o zumbido pulsátil e a anemia, que o WHM pode melhorar graças à ingestão elevada de oxigênio. Os exercícios respiratórios também aumentam a atividade neural no tronco cerebral auditivo, onde o cérebro processa os sons, podendo provocar a superexcitação das células do nervo auditivo.

A comunidade científica continua intrigada com os detalhes do tinnitus, mas estabeleceu que o fenômeno em si é inofensivo. Descobrimos que, na grande maioria dos casos, o zumbido desaparece com a persistência na prática da respiração. Se você descobrir que, depois de vários semanas, o ruído persiste ou se intensifica, isso pode ser sinal de que alguns aspectos fisiológicos subjacentes estão em jogo. Nesse caso recomendamos que você consulte um médico.

Notas

APRESENTAÇÃO: UM ENCONTRO IMPROVÁVEL

1. G. A. Buijze, H. M. Y. De Jong, M. Kox, M. G. van de Sande, D. Van Schaardenburg, R. M. Van Vugt, C. D. Popa, P. Pickkers e D. L. P. Baeten, "An Add-On Training Program Involving Breathing Exercises, Cold Exposure, and Meditation Attenuates Inflammation and Disease Activity in Axial Spondyloarthritis – A Proof of Concept Trial", *PLOS ONE* 14, no. 12 (2 de dezembro de 2019): e0225749, doi:10.1371/journal.pone.0225749.
2. M. Kox, L. T. van Eijk, J. Zwaag, J. van den Wildenberg, F. C. G. J. Sweep, J. G. van der Hoeven e P. Pickkers, "Voluntary Activation of the Sympathetic Nervous System and Attenuation of the Innate Immune Response in Humans", *Proceedings of the National Academy of Sciences of the United States of America* 111, no. 20 (20 de maio de 2014): 7379–7384, doi: 10.1073/pnas.1322174111.
3. H. van Middendorp, M. Kox, P. Pickkers e A. M. W. Evers, "The Role of Outcome Expectancies for a Training Program Consisting of Meditation, Breathing Exercises, and Cold Exposure on the Response to Endotoxin Administration: A Proof-of-Principle Study", *Clinical Rheumatology* 35, no. 4 (2016): 1081-1085, doi: 10.1007/s10067-015-3009-8.

PREFÁCIO: ESTÁ TUDO AÍ PARA VOCÊ

1. Mayo Clinic, "Multiple Sclerosis", mayoclinic.org/diseases-conditions/multiple sclerosis/symptoms-causes/syc-20350269; Centers

for Disease Control and Protection, "Lyme Disease", cdc.gov/lyme/index.html.

CAPÍTULO 1: O MISSIONÁRIO

1. Edgar Rice Burrows, "The Tarzan Series", edgarriceburroughs.com/series-profiles/the-tarzan-series/.
2. Jean M. Justad, "Hypothermia", State of Montana Department of Health and Human Services (2015), dphhs.mt.gov/Portals/85/dsd/documentsDDP/MedicalDirector/Hypothermia.pdf.
4. National Organization for Rare Diseases, "Weil Syndrome", rarediseases.org/rare diseases/weil-syndrome/#targetText=Weil%20syndrome%2C%20a%20rare%20infectious,Leptospira%20bacteria%20known%20as%20leptospirosis.

CAPÍTULO 2: O NASCIMENTO DO HOMEM DE GELO

1. Dutch Amsterdam, "Squatting in Amsterdam", dutchamsterdam.nl/555-squatting-in-amsterdam.
2. Alesia Hsiao, "6 Amazing Benefits of Cold-Water Swimming", lifehack.org/288238/6-amazing-health-benefits-cold-water-swimming.

CAPÍTULO 3: UM BANHO FRIO POR DIA MANTÉM SUA SAÚDE EM DIA

1. Joseph Castro, "11 Surprising Facts about the Circulatory System", *Live Science* (25 de setembro de 2013), livescience.com/39925-circulatory-system-facts-surprising.html.
2. World Health Organization, "The Top 10 Causes of Death" (24 de maio de 2018), who.int/News room/fact-sheets/detail/the-top-10-causes-of-death.
3. Castro, "11 Surprising Facts about the Circulatory System".

4. Julie O'Connor, "Novel Study Is First to Demonstrate Brain Mechanisms That Give 'The Iceman' Unusual Resistance to Cold", Wayne State University (28 de fevereiro de 2018), today.wayne.edu/news/2018/02/28/novel-study-is-first-to-demonstrate-brain-mechanisms-that-give-the-iceman-unusual-resistance-to-cold-6232.

5. Otto Muzik, Kaice T. Reilly, and Vaibhav A. Diwadkar, "'Brain Over Body' – A Study on the Willful Regulation of Autonomic Function During Cold Exposure", *NeuroImage* 172 (Fevereiro de 2018): 632–641, doi: 10.1016/j.neuroimage.2018.01.067.

6. Marc Dingman, "Know Your Brain: Periaqueductal Gray" (17 de julho de 2016), neuroscientificallychallenged.com/blog/know-your-brain-periaqueductal-gray.

7. Wim Hof Method, "What Can I Do About Cold Hands or Cold Feet?" (5 de janeiro de 2016), wimhofmethod.freshdesk.com/support/solutions/articles/5000631655-what-can-i-do-about-cold-hands-or-cold-feet-.

CAPÍTULO 4: RESPIREM, CARAMBA!

1. Gabriel R. Fries, Consuelo Walss-Bass, Moises E. Bauer e Antonio L. Teixeira, "Revisiting Infeblammation in Bipolar Disorder", *Pharmacology Biochemistry and Behavior* 177 (fevereiro de 2019): 12-19, doi: 10.1016/j.pbb.2018.12.006; Lisa M. Coussens and Zeno Werb, "Inflammation and Cancer", *Nature* 420, nº. 6917 (dezembro de 2019): 860–867, doi: 10.1038/nature01322.

2. Yogapedia, "Sat-Chit-Anada", yogapedia.com/definition/5838/sat-chit-ananda.

3. "Wim Hof Breathing Tutorial by Wim Hof", YouTube (28 de setembro de 2018),youtube.com/watch?v=nzCaZQqAs9I&feature=youtu.be

4. Geert A. Buijze e Maria T. Hopman, "Controlled Hyperventilation After Training May Accelerate Altitude Acclimatization", *Wilderness*

and Environmental Medicine 25, n⁰. 4: 484–486, wemjournal.org/article/S1080-6032(14)00116-1/abstract.

CAPÍTULO 5: O PODER DA MENTE

1. Wim Hof e Koen De Jong, *The Way of the Iceman* (St. Paul, MN: Dragon Door Publications, 2017); citação de Frits Muskiet ao tradutor.
2. Henriët van Middendorp, Matthijs Kox, Peter Pickkers e Andrea W. M. Evers, "The Role of Outcome Expectancies for a Training Program Consisting of Meditation, Breathing Exercises, and Cold Exposure on the Response to Endotoxin Administration: A Proof-of-Principle Study", *Clinical Rheumatology* 35, n⁰. 4 (2016): 1081-1085, doi: 10.1007/s10067-015-3009-8.
3. "Wim Hof Breaks World Record", YouTube (26 de janeiro de 2008), youtube.com/watch?v=CEbfXUTiD08.
4. Kenneth Kamler, comunicação pessoal em 17 de setembro de 2009, wimhofmethod.com/uploads/kcfinder/files/WHM_DataInfo%20Kamler.pdf.
5. Joseph Angier, "Iceman on Everest: 'It Was Easy'", ABC News (14 de abril de 2009), abcnews.go.com/Health/story?id=4393377&page=1.
6. "Wim Hof the Iceman in Radboud Hospital Research Facility", YouTube (23 de agosto de 2010), youtube.com/watch?v=aINSboYgr_g&feature=youtu.be.
7. Jan T. Groothuis, Thijis M. Eijsvogels, Ralph R. Schoten, Dick. H. J. Thijssen e Maria T. E. Hopman, "Can Meditation Influence the Autonomic Nervous System? A Case Report of a Man Immersed in Crushed Ice for 80 Minutes", innerfire.nl/files/can-meditation-influence-ans-hopman.pdf.
8. Radboud University Nijmegen Medical Centre, "Research on 'Iceman' Wim Hoff Suggests It May Be Possible to Influence Autonomic Nervous System and Immune Response", *ScienceDaily* (22 de abril de 2011), sciencedaily.com/releases/2011/04/110422090203.htm.

9. The Nobel Prize, "The Nobel Prize in Physiology or Medicine 2019" (7 de outubro de 2019), *press release*, nobelprize.org/prizes/medicine/2019/press-release/.

10. Matthijs Kox, Lucas T. van Eijk, Jelle Zwaag, Joanne van den Wildenberg, Fred C. G. J. Sweep, Johannes G. van der Hoeven e Peter Pickkers, "Voluntary Activation of the Sympathetic Nervous System and Attenuation of the Innate Immune Response in Humans", *Proceedings of the National Academy of Sciences of the United States of America* 111, nº. 20: 7379-7384, doi: 10.1073/pnas.1322174111.

11. Heidi Ledford, "Behavior Training Reduces Inflammation", *Nature News* (5 de maio de 2014), nature.com/news/behavioural-training-reduces-inflammation-1.15156; Kox et al., "Voluntary Activation of the Sympathetic Nervous System".

12. Anne Houtman, Megan Scudellari e Cindy Malone, *Biology Now* (Nova York: W. W. Norton, 2018).

CAPÍTULO 6: OLAYA

1. Encyclopedia Britannica, "ETA: Basque Organization", britannica.com/topic/ETA.

CAPÍTULO 7: MWH PARA A SAÚDE

1. Mayo Clinic, "Crohn's Disease", mayoclinic.org/diseases-conditions/crohns-disease/symptoms-causes/syc-20353304.

2. Centers for Disease Control and Prevention, "Arthritis: National Statistics", cdc.gov/arthritis/data_statistics/national-statistics.html.

3. Mayo Clinic, "Arthritis", mayoclinic.org/diseases-conditions/arthritis/symptoms-causes/syc-20350772.

4. American Autoimmune Related Diseases Association, Inc., "Autoimmune Disease Statistics", aarda.org/news-information/statistics/.

5. Wim Hof Method, "Senior Health Beyond Wellness", wimhofmethod.com/senior-health-beyond-wellness.
6. Nevco Health Care Education, "The Wim Hof Method for Seniors", nevcoeducation.com/product/senior-health-beyond-wellness-the--exercises/.
7. Anna Chojnacka, "Community for the Uninitiated One", Ted Talk, youtube.com/watch?v=8wGmE9qCnic&feature=youtu.be.

CAPÍTULO 8: MWH PARA O DESEMPENHO

1. "Adenosine Triphosphate", Science Direct, sciencedirect.com/topics/medicine-and-dentistry/adenosine-triphosphate.
2. Michael M. Cox e David L. Nelson, "Glycolysis, Gluconeogenesis, and the Pentose Phosphate Pathway", in *Lehninger Principles of Biochemistry*, 5. ed. (Nova York: W. H. Freeman, 2008), 527-568.
3. Cox and Nelson, "Glycolysis, Gluconeogenesis, and the Pentose Phosphate Pathway", 527-568.
4. Wilfried Ehrmann, "Intense Breathing and Control of Immune System" (18 de outubro de 2015), wilfried-ehrmann-e.blogspot.com/2015/10/intensive-breathing-has-amazing-effects.html.
5. "Alistair Overeem Talks Wim Hof Method", YouTube (3 de março de 2016), youtu.be/5h_3NVI20T4.
6. Jelle Zwaag, Rob ter Horst, Ivana Blaženovi´c, Daniel Stoessel, Jacqueline Ratter, Josephine M. Worseck, Nicolas Schauer, Rinke Stienstra, Mihai G. Netea, Dieter Jahn, Peter Pickkers e Matthijs Kox, "Involvement of Lactate and Pyruvate in the Anti-Inflmmatory Effects Exerted by Voluntary Activation of the Sympathetic Nervous System", *Metabolites* 10, nº. 4 (2020): 148, doi:10.3390/metabo10040148.
7. Tara Parker-Pope, "On Your Marks, Get Set, Measure Heart Health", *New York Times*, 23 de maio de 2011, well.blogs.nytimes.com/2011/05/23/on-your-marks-get-set-measure-heart-health/.

8. "Talking about the Wim Hof Method on the Dr. Oz Show", YouTube (22 de julho de 2019), youtube.com/watch?v=dEeWhsc5ZJ0&feature=youtu.be.

9. Wim Hof Method, "Wim Hof New World Record! (3 Hours Horse Stance)", YouTube (4 de fevereiro de 2019), youtube.com/watch?v=uV3Oj6EDJxk&feature=youtu.be.

CAPÍTULO 9: A VERDADE ESTÁ DO NOSSO LADO

1. W. D. van Marken Lichtenbeld, J. W. Vanhommeirg, N. M. Smudlers, J. M. Drossaerts, G. J. Kemerink, N. D. Bouvy, P. Schrauwen e G. J. Teule, "Cold-Activated Brown Adipose Tissue in Healthy Men", *New England Journal of Medicine* 360, nº. 15 (9 de abril de 2009): 1500-1508, ncbi.nlm.nih.gov/pubmed/19357405.

2. "The Role of Brown Adipose with Wim Hof", Innerfire, innerfire.nl/brown-adipose.

3. Maartin J. Vosselman, Guy H. E. J. Vijgen, Boris R. M. Kingma, Boudewjin Brans e Wouter D. van Marken Lichtenbelt, "Frequent Extreme Cold Exposure and Brown Fat and Cold-Induced Thermogenesis: A Study in a Monozygotic Twin", *PLOS One* 9, nº. 7 (11 de julho de 2014): e101653, journals.plos.org/plosone/article?id=10.1371/journal.pone.0101653.

4. Vosselman et al., "Frequent Extreme Cold Exposure."

5. Mayo Clinic, "Ankylosing Spondylitis", mayoclinic.org/diseases-conditions/ankylosing-spondylitis/symptoms-causes/syc-20354808.

6. Dominique Baeten, "Evidence-Based Mindset & Physical Therapy for Add-On Treatment of Active Axial Spondyloarthritis: Safety and Efficacy" (12 de junho de 2018), ichgcp.net/clinical-trials-registry/NCT02744014.

7. Mayo Clinic, "Endometriosis", mayoclinic.org/diseases-conditions/endometriosis/symptoms-causes/syc-20354656.

CAPÍTULO 10: UM DIA NA VIDA DO HOMEM DE GELO

1. "A3 Ballon Stunt Met Willbord Frequin en 'Bikkel' Wim Hof", YouTube (31 de maio de 2007), youtube.com/watch?v=PcEvotOB9wA&feature=youtu.be&t=185.

CAPÍTULO 11: VAMOS NOS LIBERTAR DO NOSSO FARDO ANCESTRAL

1. Dora L. Costa, Noelle Yetter e Heather DeSomer, "Intergenerational Transmission of Paternal Trauma Among US Civil War Ex-POWs", *Proceedings of the National Academy of Sciences of the United States of America* 115, nº. 44 (30 de outubro de 2018): 11215–11220, pnas.org/content/115/44/11215.

2. Mark P. Mattson, "Hormesis Defined", *Ageing Research Reviews* 7, nº. 1 (janeiro de 2008): 1-7, doi: 10.1016/j.arr.2007.08.007.

3. Indigenous Corporate Training, Inc., "What is the Seventh Generation Principle?" (29 de maio de 2012), ictinc.ca/blog/seventh-generation-principle.

4. Nicole Wetsman, "What This Unprecedented 13-Million-Person Family Tree Reveals", *National Geographic* (1º de março de 2018), nationalgeographic.com/news/2018/03/human-family-tree-genealogy-ancestry-dna-marriage-longevity-science/.

5. Pierre Capel, *The Emotional DNA: Feelings Don't Exist, They Emerge* (Amsterdã: K.pl Education, 2018); tradução para o inglês de M. L. Leslie Pringle, 2019.

CAPÍTULO 12: ALÉM DOS CINCO SENTIDOS

1. Narayanan Kandasamy, Sarah N. Garfinkel, Lionel Page, Ben Hardy, Hugo D. Critchley, March Gurnell e John M. Coats, "Interoceptive Ability Predicts Survival on a London Trading Floor", *Scientific Reports* 6, 32986 (2016), doi: 10.1038/srep32986, nature.com/articles/srep32986.

2. Jonathan Kipnis, "The Seventh Sense", *Scientific American* (agosto de 2018), scientificamerican.com/article/the-seventh-sense/.

3. Jonathan Kipnis, "Immune System: The 'Seventh Sense,'" *Journal of Experimental Medicine* (janeiro de 2018), rupress.org/jem/article/215/2/397/42541/Immune-system-The-seventh-sense-Immune-system-The.

CAPÍTULO 13: IMERSO NA LUZ INTERIOR

1. Sri Swami Satchidanada, *The Yoga Sutras of Patanjali* (Buckingham, VI: Integral Yoga Publications, 2012).

2. Cyndi Dale, *The Subtle Body* (Boulder, CO: Sounds True, 2009).

3. Andrea Ferretti, "A Beginner's Guide to the Chakras", *Yoga Journal* (29 de julho de 2014), yogajournal.com/practice/beginners-guide-chakras.

Glossário

ÁCIDO DESOXIRIBONUCLEICO (DNA) Molécula composta por duas cadeias entrelaçadas em forma de espiral (dupla hélice), que transporta toda informação genética para o desenvolvimento, funcionamento, crescimento e reprodução de todos os organismos conhecidos.

ÁCIDO RIBONUCLEICO (RNA) Molécula polimérica essencial em várias funções biológicas importantes, como a codificação, a decodificação, a regulação e expressão genética. O RNA e o DNA são ácidos nucleicos e, juntamente com os lipídios, as proteínas e os carboidratos, constituem as quatro principais macromoléculas do organismo, essenciais para todas as formas de vida conhecidas.

ALCALINIDADE Medida da capacidade de neutralização de ácido da água. A prática do Método Wim Hof aumenta a alcalinidade do sangue, resultando em vários benefícios para a saúde.

ARTRITE REUMATOIDE Doença inflamatória crônica, autoimune, que afeta principalmente as articulações. Normalmente resulta em aumento da temperatura, inchaço, rigidez e dor nas articulações. A artrite reumatoide afeta com mais frequência os pulsos e as mãos.

BIOQUÍMICA Estudo dos processos químicos dentro dos organismos vivos e relacionados a eles. Os processos bioquímicos dão origem à complexidade da vida.

CAMINHOS NEUROLÓGICOS Uma série de nervos conectados ao longo dos quais os impulsos elétricos são transmitidos por todo o corpo.

CANABINOIDES Uma das classes de compostos químicos externos que ativam os receptores canabinoides presentes no corpo humano, que são parte do sistema endocanabinoide encontrado em células que alteram a liberação de neurotransmissores no cérebro.

CAPACIDADE AERÓBICA A medida da capacidade do coração e dos pulmões para fornecer oxigênio aos músculos.

CÉREBRO REPTILIANO Camada mais profunda e primitiva do cérebro, formada pela medula espinhal e pelas porções basais do prosencéfalo. O termo deriva da ideia de que o prosencéfalo de répteis e pássaros eram dominados por essas estruturas.

Acredita-se que o cérebro reptiliano seja o responsável por comportamentos instintivos de agressão, domínio, territorialidade e exibição ritual.

CHAKRA Palavra sânscrita cuja tradução é "roda" ou "disco" e que denomina os centros de energia sutil do corpo humano. Acredita-se que os principais chakras estejam localizados ao longo da coluna vertebral, no pescoço, na testa e no topo da cabeça.

CHAPERONAS (do termo francês *chaperon*, que significa "dama de companhia"). Proteínas que auxiliam a promover o enovelamento correto de outras estruturas macromoleculares, evitando que ocorram interações indesejadas com outras proteínas, em condições de estresse.

CICLO DO ÁCIDO CÍTRICO Série de reações químicas pelas quais diversos organismos aeróbios liberam a energia armazenada por meio da oxidação da acetilcoenzima A (acetil-CoA), derivada de carboidratos, ácidos graxos e proteínas; o ciclo apresenta, no final desse processo, duas moléculas de trifosfato de adenosina e quatro de dióxido de carbono.

DIABETES Grupo de distúrbios metabólicos caracterizados por um alto nível de açúcar no sangue durante um período prolongado.

DIMETILTRIPTAMINA (DMT) Composto psicoativo intenso e natural, que também é encontrado endogenamente no corpo humano.

DISSIMILAÇÃO AERÓBICA Termo que se refere ao papel do oxigênio (ou da respiração) na decomposição de compostos orgânicos e na conversão de proteínas, ácidos nucléicos, gorduras e carboidratos em simples substâncias. A dissimilação aeróbica desempenha um papel fundamental na produção do ATP.

DOENÇA AUTOIMUNE Condição em que o sistema imunológico ataca o próprio corpo.

DOENÇA CARDIOVASCULAR Uma das classes de doença que afetam o coração ou vasos sanguíneos.

DOENÇA DE CROHN Tipo de doença inflamatória intestinal que pode afetar qualquer segmento do trato gastrointestinal, da boca ao ânus. Os sintomas geralmente incluem dor abdominal, diarreia, febre e perda de peso.

DOENÇA DE LYME Doença infecciosa causada por espécies da bactéria *Borrelia* e transmitida por carrapatos. A doença de Lyme causa erupções cutâneas, geralmente na forma de uma grande mancha vermelha, rodeada de anéis, e sintomas semelhantes aos da gripe. Dores nas articulações e fraqueza nos membros também podem ocorrer.

DOENÇA DE PARKINSON Distúrbio degenerativo do sistema nervoso, que afeta principalmente o sistema motor, causando tremores, rigidez muscular, movimentos lentos e descoordenados, desequilíbrio e alterações na fala.

EIXO HIPOTÁLAMO-HIPÓFISE-ADRENAL Conjunto complexo de interações e ciclos de retroalimentação entre o hipotálamo, a hipófise e as glândulas suprarrenais. Esse sistema regula a resposta do corpo ao estresse, a função imunológica, o gasto de energia, o humor, as emoções e a libido.

ENDOCANABINOIDES Moléculas produzidas naturalmente por células do corpo humano que se ligam e ativam os receptores canabinoides.

ENDOMETRIOSE Doença em que o tecido que normalmente reveste o interior do útero cresce para fora desse órgão.

EPIGENÉTICA Área da biologia que estuda mudanças na expressão genética que não alteram a sequência do próprio DNA.

ESCLEROSE MÚLTIPLA Doença autoimune que afeta o sistema nervoso e a medula espinhal, por uma falha no sistema imunológico, que ataca a bainha de mielina, camada protetora que recobre os nervos, causando distúrbios de comunicação entre o cérebro e o resto do corpo.

ESPONDILITE ANQUILOSANTE (EA) Tipo de artrite em que ocorre uma inflamação persistente nas articulações da coluna.

ESTRESSE AMBIENTAL Estresse causado por estímulos do nosso ambiente, como guerras, o clima, o barulho e as aglomerações.

ESTRESSE HORMÉTICO (HORMESE) Termo usado para denominar um fenômeno teórico associado a compostos que produzem efeitos biológicos prejudiciais em doses altas ou moderadas, mas demonstram efeitos benéficos em doses menores.

EXPRESSÃO GENÉTICA Processo pelo qual a informação de um gene é usada na síntese de um produto gênico funcional, como uma proteína.

FATOR DE NECROSE TUMORAL Proteína de sinalização celular associada à inflamação, cujo principal papel é a regulação das células imunológicas.

FATOR DE TRANSCRIÇÃO (FT) Proteína que regula a transcrição (cópia) da informação genética do DNA na molécula de RNA, por meio da conexão com uma sequência de DNA específica. A função dos FTs é regular – ligar e desligar – os genes, a fim de garantir que eles sejam expressos nas células certas, no momento certo e na quantidade certa, ao longo da vida da célula e do organismo.

FENÓTIPO Conjunto de características ou traços observáveis de um organismo.

GLÂNDULA PINEAL Pequena glândula endócrina localizada no cérebro da maioria dos vertebrados, que produz melatonina, um hormônio derivado da serotonina que modula os padrões de sono.

GLICOPROTEÍNA Tipo de molécula de proteína que teve um carboidrato ligado a ele.

HIDROCARBONETO Composto orgânico (como o butano) formado por átomos de carbono e hidrogênio e que muitas vezes ocorre no petróleo, no gás natural e no carvão.

HIPERVENTILAÇÃO Condição que ocorre quando se começa a respirar muito rápido.

HIPOTERMIA Queda potencialmente perigosa da temperatura corporal que ocorre quando o corpo dissipa mais calor do que pode produzir. A exposição prolongada ao frio é uma das suas causas.

HIPÓXIA Baixo teor de oxigênio nos tecidos orgânicos.

INFLAMAÇÃO Processo pelo qual os glóbulos brancos do corpo e as substâncias que eles produzem nos protegem da infecção provocada por organismos estranhos, como bactérias e vírus.

INTERLEUCINA Qualquer uma das glicoproteínas produzidas por leucócitos e, em sua maioria, com a função de regular as respostas imunológicas.

INTEROCEPÇÃO O sentido que informa sobre o estado interno do corpo. Ele pode ser tanto consciente quanto inconsciente.

LACTATO Sal ou éster do ácido láctico produzido por fermentação durante a respiração celular quando a glicose é decomposta.

LEUCÓCITO Tipo de célula sanguínea produzida na medula óssea e presente no sangue e no tecido linfático. Os leucócitos fazem parte do sistema imunológico e auxiliam o corpo no combate de infecções e outras doenças.

LIMIAR DE LACTATO Intensidade do exercício ou esforço máximo que um atleta pode manter por um período prolongado com pouco ou nenhum aumento do lactato no sangue.

LIPÍDIOS Moléculas que contêm hidrocarbonetos e compõem a estrutura e a função das células vivas. Entre os tipos de lipídios estão as gorduras, os óleos, as ceras, certas vitaminas, hormônios e a maior parte da membrana plasmática.

LÚPUS Doença inflamatória de origem autoimune, em que o sistema imunológico torna-se hiperativo e ataca órgãos e tecidos saudáveis. Os sintomas são variados e podem incluir febre, inchaço, fadiga, dores nas articulações, lesões na pele e danos nos rins, no sangue, no coração e nos pulmões.

MAL DA MONTANHA Efeito negativo da altitude elevada na saúde, causado pela rápida exposição a baixas quantidades de oxigênio nessa altitude. Os sintomas podem incluir dores de cabeça, vômitos, fadiga, dificuldade em dormir e tonturas.

MEDIDOR DE SATURAÇÃO (OU OXÍMETRO DE PULSO) Dispositivo que mede os níveis de saturação de oxigênio no sangue.

METABOLISMO Conjunto de reações químicas que garantem as necessidades estruturais e energéticas dos seres vivos. Os três principais objetivos do metabolismo são os conversão de alimentos em energia para que ocorram os processos celulares; a conversão de alimentos/combustível nas partes constituintes de proteínas, lipídios, ácidos nucleicos e alguns carboidratos; e a eliminação de resíduos nitrogenados.

MÚSCULOS INTERCOSTAIS Vários grupos de músculos localizados entre as costelas que contraem e movimentam a parede torácica. Os músculos intercostais estão envolvidos principalmente na mecânica respiratória.

NERVO VAGO O mais longo e complexo dos doze pares de nervos cranianos que se originam no cérebro. Transmite informações entre a superfície do cérebro e os tecidos e órgãos de outras partes do corpo.

PLASTICIDADE MUSCULAR Capacidade de um determinado músculo de alterar sua propriedades estruturais e funcionais, de acordo com as condições ambientais que lhe são impostas.

POLÍMERO Composto de alto peso molecular, derivado da combinação de um grande número de moléculas menores.

PROCESSOS MITOCONDRIAIS Processos através dos quais as mitocôndrias (organelas celulares) absorvem nutrientes, decompõem-se e criam moléculas ricas em energia para a célula.

PROPRIOCEPÇÃO (CINESTESIA) Capacidade do indivíduo de identificar e perceber a posição e os movimentos do seu próprio corpo. Às vezes é descrito como o sexto ou sétimo sentido.

REFLEXO DE OFEGAR Reflexo involuntário causado pela imersão repentina em água mais fria do que 21 graus.

RESÍDUOS BIOQUÍMICOS Subprodutos indesejáveis de um reação química.

RESPIRAÇÃO CONSCIENTE Termo genérico que designa métodos clínicos e terapêuticos que melhoram a função respiratória. Métodos de respiração consciente que direcionam a consciência para a respiração e desenvolvem hábitos que melhoram a respiração. A respiração humana é controlada de modo consciente ou inconsciente.

RESPOSTA DE LUTA, FUGA OU PARALIZAÇÃO Reação fisiológica que ocorre em resposta a um acontecimento nocivo percebido, a um ataque ou a uma ameaça à sobrevivência.

RIBONUCLEOPROTEÍNA Complexo de ácido ribonucleico e proteínas de ligação ao RNA (RBPs). Esses complexos são parte integrante de uma série de importantes funções biológicas que incluem a replicação do DNA, a regulação da expressão genética e a regulação do metabolismo do RNA.

SATCHITANANDA Termo sânscrito que descreve a natureza da realidade do modo como ela é conceituada na filosofia hindu e yogue.

SÍNDROME DE WEIL Forma grave da leptospirose, que é uma infecção bacteriana causada pela bactéria *Leptospira*, transmitida pela urina de animais infectados.

SISTEMA ENDÓCRINO Conjunto de glândulas que produzem hormônios e regulam o metabolismo, o crescimento e o desenvolvimento, a função dos tecidos, a função sexual a reprodução, o sono e o humor, entre outras coisas.

SISTEMA IMUNOLÓGICO Sistema de defesa que compreende muitos estruturas e processos dentro de um organismo e que o protege contra doenças.

SISTEMA LÍMBICO Sistema complexo de estruturas encefálicas, que abrange várias áreas subcorticais relacionadas ao instinto e ao humor. Esse sistema controla emoções (medo, prazer, raiva) e impulsos (fome, sexo, dominação, cuidado com a prole) básicos.

SISTEMA LINFÁTICO Rede de vasos e órgãos que auxiliam o corpo a eliminar toxinas, resíduos e outras impurezas. O sistema linfático faz parte do sistema vascular e sua função primária é transportar a linfa, fluido contendo glóbulos brancos que combatem infecções, em todo o corpo.

SISTEMA NERVOSO AUTÔNOMO (SNA) Sistema de controle que atua, e sua maior parte, no nível inconsciente e regula as funções corporais, como o batimento cardíaco, a digestão, a frequência respiratória, a reação da pupila, a micção e a excitação sexual.

SISTEMA NERVOSO PARASSIMPÁTICO (SNP) Uma das divisões do sistema nervoso autônomo, que conserva a energia do organismo, pois diminui a frequência cardíaca e a pressão arterial, aumenta a atividade intestinal e glandular e relaxa músculos esfincterianos do trato gastrointestinal.

SISTEMA NERVOSO SIMPÁTICO Parte do sistema nervoso autônomo, que também inclui o sistema nervoso parassimpático. O sistema nervoso simpático ativa a chamada "resposta de luta ou fuga", preparando o organismo para reagir a situações de pânico, estresse e excitação.

SISTEMA VASCULAR Sistema venoso responsável pela circulação do sangue e pelo transporte de nutrientes (como os aminoácidos e eletrólitos), oxigênio, dióxido de carbono, hormônios e células sanguíneas por todo o corpo, para fornecer nutrição às células e ajudar a combater doenças, estabilizar a temperatura e o pH, e manter a homeostase. Inclui o sistema linfático.

SUBSTÂNCIA CINZENTA PERIAQUEDUTAL Estrutura mesocefálica que desempenha um papel fundamental na função autonômica, no comportamento motivado e nas respostas defensivas a estímulos ameaçadores. Ela é também o principal centro de controle da modulação da dor.

TAXA METABÓLICA Quantidade de energia gasta por animais de "sangue quente" em repouso, num determinado período de tempo.

TECIDO ADIPOSO MARROM (TAM) Um dos dois tipos de tecido adiposo existente em mamíferos (o outro é o tecido adiposo branco), capaz de converter energia química em calor quando ativado pelo sistema nervoso simpático. Embora inicialmente se acreditava que esse tipo de tecido estivesse presente apenas em recém-nascidos e bebês humanos, estudos científicos realizados nos últimos anos forneceram evidências inequívocas de que o TAM também está presente em seres humanos adultos.

TELOMERASE Ribonucleoproteína que adiciona telômeros às extremidades do cromossomo, para proteger de danos suas regiões internas ou evitar a fusão com cromossomos vizinhos.

TELÔMERO Região de sequências repetidas de DNA nas extremidades do cromossomo, que atua como uma capa, protegendo o cromossomo de deterioração ou fusão com cromossomos vizinhos. Alguns pesquisadores acreditam que a perda progressiva de telômeros está relacionada ao envelhecimento.

TERMORREGULAÇÃO Capacidade de um organismo de manter sua temperatura interna dentro de certos limites, mesmo quando o a temperatura do ambiente é bem diferente.

TRIFOSFATO DE ADENOSINA OU ADENOSINA TRIFOSFATO (ATP, na sigla em inglês) Composto orgânico complexo que fornece energia para conduzir muitos processos em células vivas, incluindo a contração muscular, a propagação do impulso nervoso e a síntese de substâncias químicas. Encontrado em todas as formas de vida, o ATP é muitas vezes considerado a "moeda energética" da transferência da energia intracelular.

TUMMO Prática ancestral do budismo tibetano que combina exercícios de respiração e de visualização para possibilitar estados profundos de meditação que acendem o nosso "fogo interior".

VASOCONSTRICÇÃO Estreitamento (constrição) dos vasos sanguíneos em consequência da contração de pequenos músculos presentes nas suas paredes. Quando os vasos sanguíneos se contraem, o fluxo sanguíneo é reduzido ou bloqueado.

VEDAS As mais antigas escrituras hindus, escritas em sânscrito antigo, e que contêm uma compilação de hinos e preces, ensinamentos e orientações sobre rituais para os sacerdotes da religião védica; é considerada a base dos ensinamentos do hinduísmo e do budismo.

VO2 MAX (Volume de oxigênio máximo) Capacidade máxima do corpo de um indivíduo de transportar e metabolizar oxigênio durante o exercício intenso.

ZONA DE CONFORTO Estado comportamental condicionado no qual repetimos padrões e comportamentos na tentativa de minimizar as incertezas, a mentalidade de escassez e o sentimento de vulnerabilidade.

Leituras Adicionais

LIVROS

Blackburn, Elizabeth e Elissa Epel. *The Telomere Effect*. Nova York: Grand Central, 2017.

Bushell, William, Erin Olivio e Neil Theise. *Longevity, Regeneration, and Optimal Health*. Hoboken, NJ: Wiley-Blackwell, 2009.

Capel, Pierre. *The Emotional DNA: Feelings Don't Exist, They Emerge*. Amsterdã: K.pl Education, 2018. (tradução para o inglês, 2019.)

Carney, Scott. *What Doesn't Kill Us*. Nova York: Rodale Books, 2017.

Dale, Cyndi. *The Subtle Body*. Boulder, CO: Sounds True, 2009.

Ehrmann, Wilfried. *Handbuch der Atem-Therapie (The Manual of Breath Therapy)*. Alemanha: Param, 2011.

Hof, Wim e Justin Rosales. *Becoming the Iceman*. Maitland, FL: Mill City Press, 2011.

Hof, Wim e Koen De Jong. *The Way of the Iceman*. St. Paul, MN: Dragon Doo Publications, 2017.

Houtman, Anne, Megan Scudellari e Cindy Malone. *Biology Now*. Nova York: W. W. Norton, 2018.

Kamler, Kenneth. *Doctor on Everest*. Nova York: Lyons Press, 2000.

Kamler, Kenneth. *Surviving the Extremes*. Nova York: St. Martin's Press, 2004.

Ryan, Christopher. *Civilized to Death*. Nova York: Simon & Schuster, 2019.

Satchidanada, Sri Swami. *The Yoga Sutras of Patanjali*. Buckingham, VI: Integral Yoga Publications, 2012.

PERIÓDICOS

Buijze, Geert A., H. M. Y. De Jong, M. Kox, M. G. van de Sande, D. Van Schaardenburg, R. M. Van Vugt, C. D. Popa, P. Pickkers e D. L. P. Baeten. "An Add-On Training Program Involving Breathing Exercises, Cold Exposure, and Meditation Attenuates Inflammation and Disease Activity in Axial Spondyloarthritis – A Proof of Concept Trial." *PLOS One* 14, nº. 12 (2 de dezembro de 2019). doi:10.1371/journal.pone.0225749.

Costa, Dora L., Noelle Yetter e Heather DeSomer. "Intergenerational Transmission of Paternal Trauma Among US Civil War Ex-POWs." *Proceedings of the National Academy of Sciences of the United States of America* 115, nº. 44 (30 de outubro de 2018). pnas.org/content/115/44/11215.

Groothuis, Jan T., Thijs M. Eijsvogels, Ralph R. Scholten Scholten, Dick Thijssen e Maria T. E. Hopman. "Can Meditation Influence the Autonomic Nervous System? A Case Report of a Man Immersed in Crushed Ice for 80 Minutes." innerfire.nl/files/can-meditation-influence-ans-hopman.pdf.

Kandasamy, Narayanan, Sarah N. Garfinkel, Lionel Page, Ben Hardy, Hugo D. Critchley, March Gurnell e John M. Coats. "Interoceptive Ability Predicts Survival on a London Trading Floor." *Scientific Reports* 6, 32986 (2016). doi: 10.1038/srep32986, nature.com/articles/srep32986.

Kipnis, Jonathan. "Immune System: The Seventh Sense." *Journal of Experimental Medicine* 215, nº. 2 (16 de janeiro de 2018). rupress.org/jem/article/215/2/397/42541/Immune-system-The-seventh-sense-Immune-system-Th.e.

Kipnis, Jonathan. "The Seventh Sense." *Scientific American* (Agosto de 2018). scientificamerican.com/article/the-seventh-sense/.

Kox, Matthijs, Lucas T. van Eijk, Jelle Zwaag, Joanne van den Wildenberg, Fred C. G. J. Sweep, Johannes G. van der Hoeven e Peter Pickkers. "Voluntary Activation of the Sympathetic Nervous System and Attenuation of the Innate Immune Response in Humans." *Proceedings of the National Academy of Sciences of the United States of America* 111, nº. 20 (20 de maio de 2014). doi: 10.1073/pnas.1322174111.

Kozhevnikov, Maria, James Elliott, Jennifer Shephard e Klaus Gramann. "Neurocognitive and Somatic Components of Temperature Increases During-Tummo Meditation: Legend and Reality." *PLOS One* 8, nº. 3 (Março de 2013). doi: 10.1371/journal.pone.0058244.

Ledford, Heidi. "Behavioural Training Reduces Inflammation." *Nature News* (5 de maio de 2014). nature.com/news/behavioural-training-reduces-inflammation-1.15156. Muzik, Otto, Kaice T. Reilly, and Viabhav Diwadkar. "'Brain Over Body'– A Study on the Willful Regulation of Autonomic Function During Cold Exposure." *NeuroImage* 172 (Fevereiro de 2018). doi: 10.1016/j.neuroimage.2018.01.067.

Nichols, David E. "*N,N*-Dimethyltryptamine and the Pineal Gland: Separating Fact from Myth." *Journal of Psychopharmacology* (2 de novembro de 2017). doi: 10.1177/0269881117736919.

Van Marken Lichtenbelt, Wouter, J. W. Vanhommeirg, N. M. Smudlers, J. M. Drossaerts, G. J. Kemerink, N. D. Bouvy, P. Schrauwen e G. J. Teule. "Cold-Activated Brown Adipose Tissue in Healthy Men." *New England Journal of Medicine* 360, nº. 15 (9 de abril de 2009). ncbi.nlm.nih.gov/pubmed/19357405.

Vosselman, Maartin J., Guy H. E. J. Vijgen, Boris R. M. Kingma, Boudewjin Brans, and Wouter D. van Marken Lichtenbelt. "Frequent Extreme Cold Exposure and Brown Fat and Cold--Induced Thermogenesis: A Study in a Monozygotic Twin." *PLOS One* 9, nº. 7 (11 de julho de 2014). journals.plos.org/plosone/article?id=10.1371/journal.pone.0101653.

WEBSITES

Angier, Joseph. "Iceman on Everest: 'It Was Easy.'" ABC News (14 de abril de 2009). abcnews.go.com/Health/story?id=4393377&page=1.

Dattagupta, Shahana. "Arjuna and the Fish Eye: The Fallacy of Being Over-Informed, Hyper-Busy and Multi-Tasking." *Reflections and Revelations* (15 de dezembro de 2009). flyingchickadee.wordpress.com/2009/12/15/arjuna-and-the-fish-eye-the-fallacy-of-being-over-informed-hyper-busy-and-multi-tasking/.

Ehrmann, Wilfried. "Intense Breathing and Control of Immune System." wilfried-ehrmann-e.blogspot.com/2015/10/intensive-breathing-has-amazing-effects.html.

Kamler, Kenneth. "World Record Attempt on Regis and Kelly ABC TV Show" (17 de setembro de 2009). wimhofmethod.com/uploads/kcfinder/files/WHM_DataInfo%20Kamler.pdf.

Rogers, Martin. "Extreme Breathing, Cold Helps UFC heavyweight Alistair Overeem Train." *USA Today*, 1º de março de 2017. usatoday.com/story/sports/ufc/2017/03/01/ufc-209-alistair-overeem-heavyweight/98609304/.

Stanger, Shelby. "Change Your Breath, Change Your Life." *Outside*, 9 de junho de 2016. outsideonline.com/2086911/iceman-cometh.

Steenbeek, Jelle. "Sexual Kung Fu." wimhofmethod.com/blog/sexual-kung-fu. Para mais informações, visite lionwood.nl.

Weatherford, Steve. "How the Wim Hof Experience Has Changed Me." weatherford5.libsyn.com/how-the-wim-hof-experience-has-changed-me.

Créditos das fotografias

Todas as fotografias receberam a devida permissão.

Páginas 41 e 144, cortesia dos arquivos da família Hof.

Páginas 48, 104 e 111, © Henny Boogert.

Página 69, © Kersti Niglas.

Páginas 78, 128, 180, 188, 206 e 254, © Peter Schagen.

Foto do vídeo *Senior Health Beyond Wellness* da página 164, © NEVCO.